작은 예술론

발 행 | 2024년 06월 07일
저 자 | 신숙경
펴낸이 | 한건희
펴낸곳 | 주식회사 부크크
출판사등록 | 2014.07.15.(제2014-16호)
주 소 | 서울특별시 금천구 가산디지털1로 119 SK트윈타워 A
동 305호
전 화 | 1670-8316
이메일 | info@bookk.co.kr

ISBN | 979-11-410-8818-7

www.bookk.co.kr

플라톤의 예술관: 이상적 형태와 예술의 모방

플라톤은 그의 철학에서 예술을 다룰 때 주로 이상적 형태 (Forms)의 개념을 사용한다. 그는 우리가 감각으로 인지할 수 있는 세상의 모든 것이 이상적 형태의 불완전한 모방에 지나지 않는다고 주장한다. 이 이론은 예술, 특히 시와 회화 같은 대표적 예술 형태에도 적용된다. 플라톤은 예술 작품을 현실의 물체를 모방한 것으로 보며, 현실의 물체 자체도 완벽한 형태의 모방품이라고 본다. 이러한 관점에서, 예술은 진리에서 두 단계나 떨어진 존재로 간주되며, 진정한 지식이나 진리를 제공하기 보다는 감각적 쾌락을 제공하는 수단으로 여겨진다. 플라톤은 이상주의적 미학에서 예술을 진리의 한 형태로 바라보았다. 그의 철학에서 '이상적 형태'는 완벽하고 변하지 않는 진리의 원형을 나타내며, 모든 감각적 대상은 이러한 이상적 형태의 불완전한 모방에 불과하다. 예술 역시 이 모방 과정에 속한다고 플라톤은 설명한다. 그러나 예술이 진리를 반영하는 방식은 더욱 간접적이다. 예술가들은 현실 세계의 대상들을 관찰하고 그것을 통해 작품을 창작함으로써, 사실은 이미 모방된 형태를 다시 모방하는 셈이 된다.

이 때문에 플라톤은 예술을 진리에서 멀어진 것으로 평가했으나, 동시에 예술이 감성적 쾌락을 제공하고, 이상적 형태에 대한 성찰을 유도할 수 있는 가능성을 인정하기도 했다. 이러한 복잡한 관계 속에서 예술은 플라톤 철학의 중요한 부분을 이루며, 이상적 형태에 가까워질 수 있는 또 다른 방법으로 간주되기도 한다.

플라톤의 예술론에서 예술은 주로 부정적인 시각에서 다뤄진다. 그의 주요 관점은 예술이 현실의 모방이며, 그 자체로 이상적 형태에 비해 두 번째로 간접적인 모방이라는 것이다. 예술가들이 창조하는 작품은 이미 모방된 현실의 물체를 또다시 모방하는 것이므로, 진리로부터 더욱 멀어진다고 보았다. 플라톤은 이러한 이유로 예술을 신뢰하지 않았고, 이상적인 국가에서는 예술이 사람들을 진리에서 멀어지게 만드는 요소로 작용할 수 있다고 생각했다. 그는 특히 시(詩)를 강하게 비판했는데, 시가 감정에 호소하고 이성적 판단을 흐리게 만든다고 주장했다.

그럼에도 불구하고 플라톤은 예술이 교육적 가치를 가질 수 있고, 이상적 형태를 성찰하게 만드는 도구가 될 수 있다고 인정하면서 예술의 가능성을 완전히 부정하지 는 않았나 모방의 형태이지만, 철학적 성찰을 통해 올바르게 사용된다면 유익한 도구가 될 수 있다는 데 답이 있다. 이것은 예술이 진

리를 탐구하는 데 일정 부분 기여할 수 있음을 인정하면서도,

그 위험성을 경고하는 복합적인 태도를 반영한다.

아리스토텔레스: 모방과 감정의 예술

아리스토텔레스는 예술을 모방(mimesis)의 관점에서 접근했다. 그는 모든 예술 형태가 현실을 모방하는 행위라고 정의하며, 이 모방을 통해 예술이 감정과 경험을 전달한다고 보았다. 아리스토텔레스의 예술론에서 예술은 근본적으로 모방의 행위로 정의된다. 하지만 이 모방은 단순히 외형적인 형태를 따라하는 것이 아니라, 인간의 행동, 감정, 그리고 경험을 재현하는 과정이다. 아리스토텔레스에게 예술의 핵심 가치는 이 모방을 통해 인간의 감정과 경험을 진실되게 표현하고, 관객에게 깊은 정서적 반응을 일으키는 데 있다. 그의 저작인 『시학』에서 비극을 다룰 때, 비극의 핵심 기능으로 '카타르시스'를 제시한다. 카타르시스는 관객이 비극을 통해 두려움과 연민과 같은 강렬한 감정을 경험하고, 이를 통해 정화나 정서적 해방을 느끼는 과정을 의미한다.

따라서 아리스토텔레스의 비극은 인간의 기본적 감정을 모방하는데, 이는 관객으로 하여금 자신의 삶과 유사한 경험을 거울처럼 보게 만든다. 이 과정에서 관객은 자신의 감정을 반성하고, 일상에서는 경험하기 어려운 감정의 정화를 견험하게 된다. 그는 이러한 경험이 인간의 영혼을 정화하고, 도덕적, 정서적 균형을 회복하는 데 중요하다고 강조했다. 따라서 아리스토텔레스의 예술관에서 비극의 카타르시스는 단순한 감정 이입을 넘어서, 인간의 정신적 성장과 내면적 치유를 촉진하는 근본적인 과정으로 자리 잡는다.

또한 예술을 깊이 있게 탐구하며, 특히 음악이 도덕적 감정을 유발하고 성격을 형성하는 데 중요하다고 보았다. 그는 예술 작품의 조화와 질서를 강조하며 이 요소들은 비극과 희극을 통해 인간 본성의 서로 다른 측면을 탐구하며, 각 장르가 사회적 기능을 수행하고, 교육적 및 치유적 역할을 할 수 있다고 논의한다. 아리스토텔레스의 예술론은 예술이 단순한 즐거움을 넘어서 깊은 도덕적 및 정서적 영향을 미칠 수 있는 방법을 제시한다.

칸트: 미적 판단의 주관성

칸트는 그의 철학에서 미적 판단의 주관성을 중요하게 다루며, 이를 통해 미의 경험이 갖는 독특한 자율성에 대해 설명한다. 그의 주요 저작인 『판단력 비판』에서 칸트는 미적 판단이 순수 이성의 비판을 통해 어떻게 형성되는지를 탐구한다. 그에 따르면, 미적 판단은 객관적 진리나 이성적 증명에 의존하지 않으며, 순전히 주관적인 감정과 반응에 기초한다. 이러한 판단은 감상자의 내부적 느낌과 개인적 취향에 의해 결정되기 때문에, 각 개인에 따라 그 기준이 상이할 수 있다. 칸트에 따르면, 미적 판단을 할 때 사람들은 특정한 목적이나 기능을 염두에 두지 않고 예술 작품을 감상한다. 이러한 관점은 '목적성 없는 목적성'이라는 개념으로 표현되며, 예술 작품이 우리에게 어떠한 실용적 목적도 제공하지 않음에도 불구하고, 마치 목적이 있는 것처럼 보이는 내재된 질서와 조화를 갖추고 있는 것을 의미한다. 이는 예술 작품이 갖는 구조와 형태가 마치 자연스럽게 그렇게 설계된 것처럼 보이지만, 실제로는 그 자체로 완성되어 있는 독립적인 존재라는 것을 시사한다. 칸트는 이러한 예술의 자율성을 통해, 예술 작품이 감상자에게 순수한 미적 즐거움을 제공하며, 이는 감상자가 자신의 감정과 상상력을 자유롭게 활용하도 록 만든다고 본다. 이 과정에서 감상자는 예술 작품을 통해 개인적이면서도 보편적인 미적 가치를 경험하게 된다.

칸트는 미적 경험의 자율성을 강조하면서, 이를 '무이해의 즐거움'이라고 표현한다. 이는 미적 객체를 감상할 때 우리가 어떠한 지적 판단이나 개념적 이해 없이 순수하게 감각적으로 경험하는 즐거움을 의미한다. 예술 작품을 대할 때 우리는 작품의 아름다움을 인식하면서도 그것을 개념적으로 설명하거나 분석하지 않는다. 칸트는 이러한 경험이 자율적이며, 각 인간이 지니는 개별적 감성에 따라 다양하게 나타난다고 봤다.

헤겔: 예술의 정신의 철학적 해석

헤겔은 예술을 정신의 발전과 자기 인식의 역사적 과정 속에서 해석한다. 그의 철학에서 예술은 절대정신이 자기 자신을 인식하고 외화하는 수단 중 하나로, 역사적 시대와 문화에 따라 그 형태와 중요성이 변화한다고 본다. 예술은 신화와 종교를 통해 절대적인 진리의 모습을 나타내며, 이러한 진리는 감각적인 형태로 표현되어 인간의 정신과 감정에 호소한다. 예술의 역사적 발전을 설명하는 중요한 개념 중 하나는 예술의 상징적, 고전적, 낭만적 형식의 구분이다. 상징적 예술은 정신과 자연의 관계가 아직 완전히 조화롭지 않은 상태를 나타내며, 종교적이거나 신화적인 주제를 통해 더 깊은 의미를 상징적으로 표현한다. 고전적 예술은 정신과 형태의 완벽한 조화를 이루는 단계로, 고대 그리스와 로마의 조각과 건축에서 이상적인 아름다움과 명확한 형태로 정신을 표현한다.

낭만적 예술은 개인의 주관적 정서와 내면의 깊이를 중심으로 하며 이 형식은 고전적 예술의 조화로운 이상에서 벗어나, 개인적 감정과 영적 추구를 강조한다. 낭만적 예술은 더 이상 형태에 구속되지 않고, 정신의 깊이와 다양성을 탐색하는 데 초점을 맞춘다.

헤겔은 이 세 가지 예술 형식을 통해 예술의 역사적 발전과

정신의 자기 인식 과정을 설명하며, 각 시대의 예술이 인간 정신의 다양한 단계와 어떻게 연결되는지 보여주었다.

헤겔은 예술의 종말론적 접근에서 예술이 그 역사적 사명을 완수하고 절정에 이르렀을 때, 점차 철학에 그 자리를 넘겨준다고 주장한다. 이는 예술이 절대정신의 자각과 표현의 한 형태로서 완전히 발전하였으나, 더 높은 형태의 인식과 표현, 즉 철학적 사유와 개념적 표현이 필요하게 됨을 의미한다. 따라서 예술은 역사적으로 철학의 중요성이 변화하며, 예술은 점차 개인적이고 주관적인 표현의 수단으로 자리 잡게 되며, 보편적 진리를 표현하는 수단으로서 중심적 역할을 철학에게 넘기게 된다.

니체: 예술을 통한 삶의 긍정

니체는 그의 저작인 『비극의 탄생』을 통해 예술이 삶을 어떻게 긍정하는지 깊이 있게 탐구한다. 그에 따르면, 예술, 특히 고대 그리스의 비극은 인간 존재의 근본적인 고통과 모순을 직면하면서도, 그것을 통해 삶의 근본적인 가치를 발견하고 축하하는 방법을 제공한다. 이러한 관점에서 비극은 아폴론적인 원리와 디오니소스적인 원리의 결합으로, 아폴론은 형태와 질서를, 디오니소스는 충동적이고 감정적인 측면을 대표한다. 니체는 예술을 통한 삶의 긍정을 '에스트레시스(Ekstasis)' 라고 설명하는데, 이는 일상적 자아를 초월하여 보다 강렬하고 포괄적인 존재로의 확장을 의미한다. 예술, 특히 음악과 비극을 통해 인간은 일시적으로 자신의 한계를 넘어설 수 있으며, 이를 통해 삶의 아름다움과 비극 속에서도 긍정적인 측면을 발견하고 축하할 수 있다. 니체는 이런 과정을 통해 예술이 단순한 즐거움을 넘어서 실존적이고 영적인 깊이를 제공한다고 봤다. 예술은 따라서 인간 존재와 삶의 의미를 근본적으로 재조명하고, 삶을 긍정하는 강력한 수단이 된다. 또한 니체는 예술을 두 가지 상반된 충동, 즉 디오니소스적 충동과 아폴론적 충동의 대립과 조화로 설명한다. 디오니소스적 충동은 혼돈, 본능, 감정, 무질서를 대표하며, 집단적이고 원초적인 생명력을 상징한다. 이는 특히 음악과 춤과 같은 형태에서 강하게 드러나며, 감정의 해방과 자기 초월을 가능하게 한다. 디오니소스적 충동은 인간이 자신의 한계를 넘어 신성한 경험에 도달하도록 도와준다. 반면, 아폴론적 충동은 질서, 이성, 조화, 형태를 대표한다. 이는 조각, 건축, 서사시와 같은 예술 형태에서 나타나며, 명확하고 조화로운 아름다움을 추구한다. 아폴론적 충동은 꿈과 환상을 통해 현실을 이상화하고, 이를 통해 인간에게 안정감과 명확한 형태를 제공한다.

니체는 이 두 충동이 비극적 예술에서 통합될 때, 예술이 가장 강력한 힘을 발휘한다고 주장한다. 그는 그리스 비극을 예로 들어, 디오니소스적 열정과 아폴론적 질서가 결합될 때 인간이 삶의 고통과 무의미함을 극복하고, 삶을 긍정하게 된다고 설명한다. 이 과정에서 예술은 단순한 미적 경험을 넘어서, 존재의 심오한 진리와 인간 존재의 깊이를 탐구하는 수단이 된다.

디오니소스적 충동과 아폴론적 충동의 대립과 조화를 통해, 예술은 인간이 삶의 본질을 이해하고 긍정할 수 있는 길을 제공한다. 따라서, 니체의 예술론은 단순한 미적 가치의 추구를 넘어, 예술을 통한 인간 존재의 이해와 삶의 긍정을 중시

한다. 이는 예술이 인간에게 주는 심오한 영향을 강조하며,
예술이 단순히 감상적 즐거움을 제공하는 것이 아니라, 인간
존재와 삶의 본질을 탐구하는 중요한 통로임을 나타낸다.

하이데거: 예술의 본질과 기술

하이데거는 예술을 세계를 개시하는 수단으로 보고, 예술 작품이 갖는 본질적인 기능을 깊이 있게 탐구했다. 그의 저작인 『예술 작품의 기원』에서 하이데거는 예술 작품을 통해 세계가 어떻게 드러나고, 진리가 어떻게 설립되는지를 설명한다. 예술 작품은 단순한 물체를 넘어서, 그것을 둘러싼 세계와 그 세계가 구성원들에게 의미하는 바를 개시하는 역할을 한다. 예술은 숨겨진 진리를 드러내고, 이를 통해 우리가 세계를 이해하고 경험하는 방식을 형성한다. '진리의 언어로서의 예술'이다. 그는 예술을 통해 진리가 드러나는 방식을 탐구하며, 예술이 단순히 미적인 경험을 제공하는 것을 넘어서 존재의 본질을 드러내는 매개체로서 작용한다고 보았다.

예술 작품은 단순한 물질적 대상이 아니라, 존재의 본질과 진리를 표현하는 언어로서 기능한다. 이 과정에서 예술 작품은 새로운 의미를 창조하고, 기존의 의미를 재구성하며, 관객에게 새로운 통찰과 이해를 제공한다. 예술은 언어와 마찬가지로 우리가 세계를 이해하고 경험하는 방식을 형성하는 중요한 수단이다.

예술 작품은 그 자체로 하나의 '사건'이며, 이 사건을 통해 진리가 드러나고, 관객은 세계와 자신에 대해 새로운 인식을 얻게 된다. 예술은 단순한 감각적 즐거움을 넘어서, 존재의 본질에 대한 깊은 통찰을 제공하는 힘을 지니고 있다. 또한, 하이데거는 예술이 일상적인 도구적 사고에서 벗어나게 하고, 우리가 잊고 있던 존재의 진리를 상기시킨다고 주장한다. 예술 작품은 일상적 경험의 경계를 넘어, 보다 깊은 존재의 차원으로 우리를 이끈다. 하이데거의 이러한 관점은 예술을 단순한 미적 경험을 넘어서, 존재와 진리의 깊은 이해를 위한 필수적인 통로로서 바라보게 한다.

질 들뢰즈: 차이와 반복의 예술

질 들뢰즈의 예술론은 그의 철학적 개념인 '차이와 반복'을 중심으로 전개된다. 들뢰즈는 예술이 단순한 모방이나 재현이 아니라, 차이와 반복을 통해 새로운 의미와 경험을 창출하는 과정이라고 본다. 그의 저서 『차이와 반복』에서 들뢰즈는 반복이 단순한 동일한 것의 반복이 아니라, 매번 다른 맥락과 방식으로 차이를 생성하는 행위라고 설명한다. 이러한 반복은 창조적인 힘을 지니며, 예술은 이 반복을 통해 끊임없이 새로운 형태와 의미를 만들어낸다. 예술에서의 차이는 기존의 규범과 관습을 깨고, 새로운 가능성과 잠재성을 탐구하는 역할을 한다. 들뢰즈는 예술 작품이 관객에게 새로운 시각과 감각을 제공함으로써 일상적인 경험의 틀을 벗어나게 한다고 주장한다. 예술은 이 과정에서 기존의 질서와 의미를 해체하고, 새로운 질서와 의미를 구축하는 혁신적인 힘을 발휘한다.

또한, 들뢰즈는 예술이 단순히 감상하는 것이 아니라, 능동적인 경험과 참여를 통해 이루어진다고 본다. 예술 작품은 관객과의 상호작용을 통해 그 의미가 완성되며, 이 상호작용은 반복될 때마다 새로운 차이를 생성한다. 이러한 접근은 예술을 고정된 것이 아니라, 끊임없이 변화하고 발전하는 동적인 과정으로 이해하게 한다.

들뢰즈의 예술론은 특히 현대 예술에서 중요한 의미를 지닌다. 현대 예술은 전통적인 규범과 경계를 넘어서 새로운 형식과 내용을 탐구하는데, 이는 들뢰즈가 말한 차이와 반복의 원리를 잘 반영하고 있다. 따라서 들뢰즈의 예술론은 현대 예술의 창조적 과정과 그 본질을 이해하는 데 중요한 이론적 틀을 제공한다.

질 들뢰즈의 예술론에서 또 다른 중요한 주제는 '기관 없는 몸(BwO)'과 예술의 관계다. 이 개념은 들뢰즈와 펠릭스 가타리가 공동으로 저술한 『천 개의 고원』에서 중심적으로 다뤄진다. 기관 없는 몸은 전통적인 조직과 구조를 벗어나 자유로운 흐름과 연결을 지향하는 개념이다.

들뢰즈와 가타리는 기관 없는 몸(BwO)을 통해 예술이 고정된 형식과 구조를 초월하여, 자유롭고 유동적인 상태를 지향할 수 있다고 주장한다. 기관 없는 몸은 기존의 규범과 제약을 벗어나, 새로운 가능성과 잠재성을 탐구하는 것이다.

예술은 이러한 기관 없는 몸의 원리를 통해 끊임없이 변화하고 발전하는 창조적 과정을 보여준다.

예술에서 기관 없는 몸의 개념은 전통적인 형태와 구조를 해체하고, 새로운 표현 방식을 모색하는 현대 예술의 특징을 설명하는 데 유용하다. 예를 들어, 추상 미술이나 퍼포먼스 아트는 고정된 형태와 규칙을 따르지 않고, 자유로운 흐름과 상호작용을 강조한다 이러한 예술 형식은 기관 없는 몸의 개념을 잘 반영하며, 예술이 단순히 고정된 작품이 아니라 끊임없이 변화하는 과정임을 보여준다.

들뢰즈는 예술이 기존의 사회적, 문화적 규범을 넘어서는 탈영토화(deterritorialization)의 과정이라고도 본다. 이는 예술이 새로운 영역으로 확장되고, 기존의 경계를 허무는 방식으로 작동함을 의미한다. 예술 작품은 이를 통해 새로운 의미와 가치를 창출하며, 관객에게 새로운 경험과 인식을 선사한다.

기관 없는 몸의 개념은 또한 예술가의 창조적 과정에도 적용된다. 예술가는 고정된 역할이나 정체성에 얽매이지 않고, 끊임없이 새로운 아이디어와 표현 방식을 탐구하는 존재로 그려진다. 이 과정에서 예술가는 자신을 탈영토화하고, 새로운 예술적 영역을 개척해 나간다. 들뢰즈의 이와 같은 예술론은 현대 예술의 다양한 실험적이고 혁신적인 경향을 이해하는 데 중요한 통찰을 제공한다. 그의 사상은 예술이 단순히 미적 대상이 아니라, 사회적, 문화적 변화를 이끌어가는 중요한 힘임을 강조하며, 예술의 무한한 가능성과 잠재성을 탐구하는 데 중요한 이론적 틀을 제공한다.

질 들뢰즈의 예술론에서 중요한 주제는 '리좀(Rhizome)'과 예술의 관계다. 리좀은 『천 개의 고원』에서 들뢰즈와 가타리가 제시한 개념으로, 전통적인 구조적 체계를 넘어선 복잡하고 비선형적인 연결망을 의미한다.

들뢰즈와 가타리는 리좀을 통해 전통적인 수직적이고 위계적인 구조를 탈피하고, 비선형적이고 수평적인 연결망을 강조한다. 리좀은 시작과 끝이 없으며, 어느 지점에서도 연결이 가능하고, 끊임없이 변화하고 확장된다. 이러한 리좀의 특성은 예술의 창작 과정과 매우 유사하다.

예술에서 리좀의 개념은 전통적인 장르와 형식을 넘어서 다양한 요소들이 자유롭게 결합되고, 새로운 의미와 표현이 창출되는 과정을 설명하는 데 유용하다. 현대 예술은 특정한 경계나 규칙에 얽매이지 않고, 다양한 매체와 기법을 결합하여 독창적인 작품을 만들어낸다. 이는 리좀의 개념을 잘 반영하며, 예술이 끊임없이 진화하고 확장되는 다층적이고 복잡한 네트워크임을 보여준다.

들뢰즈는 리좀적 예술이 기존의 이분법적 사고를 극복하고, 다원적이고 유동적인 사고를 촉진한다고 본다. 리좀적 예술은 다양한 관점과 아이디어를 포용하며, 이를 통해 새로운 사고와 경험의 가능성을 열어준다. 이는 예술이 단순히 미적 감상을 넘어서, 사회적, 문화적 변화를 이끌어가는 중요한 역할을 한다는 것을 의미한다.

리좀의 개념은 또한 예술가의 창조적 과정에도 적용된다. 예술가는 고정된 주제나 기법에 얽매이지 않고, 다양한 아이디어와 자원을 결합하여 새로운 작품을 창조한다. 이 과정에서 예술가는 끊임없이 변화를 추구하며, 새로운 연결과 의미를 탐구하게 된다. 들뢰즈와 가타리는 리좀적 사고가 현대 사회와 문화에서 중요하다고 강조한다. 이는 예술이 복잡하고 다원적인 현대 사회의 문제를 이해하고, 이를 해결하는 데 중요한 역할을 할 수 있음을 시사한다. 리좀적 예술은 단순히 미적 표현을 넘어, 사회적 실천과 변혁의 도구로서 작용할 수 있다. 들뢰즈의 리좀 개념은 현대 예술의 혁신적이고 실험적인 경향을 이해하는 데 중요한 통찰을 제공하며, 예술의 무한한 가능성과 잠재성을 탐구하는 데 중요한 이론적 틀을 제공한다. 이를 통해 예술은 고정된 경계를 넘어 끊임없이 새로운 영역을 개척하고, 다양한 연결을 통해 새로운 의미와 가치를 창출하는 동적인 과정으로 이해될 수 있다.

발터 베냐민: 기계복제 시대의 예술

발터 베냐민의 예술론에서 중심이 되는 개념은 '기계복제 시대의 예술'이다. 베냐민은 그의 에세이『기계복제 시대의 예술 작품』에서 기계적 복제가 예술의 본질과 그 사회적 기능을 어떻게 변화시키는지 분석했다. 전통적으로 예술 작품은 '아우라'를 지니고 있었다. 이는 작품의 고유성과 시간적, 공간적 맥락에서 비롯되는 독특한 존재감을 의미한다. 그러나 사진과 영화 같은 기계적 복제 기술의 발달로 인해 예술 작품은 대량으로 복제가 가능해졌고, 이에 따라 아우라는 소멸되기 시작했다. 베냐민은 이러한 변화를 단순히 부정적으로 보지 않았다. 오히려 그는 기계복제가 예술을 민주화하는 가능성을 열어준다고 보았다. 예술 작품이 더 이상 한정된 엘리트의 전유물이 아니라, 대중에게 널리 접근이 쉬워졌다는 점에서 기계복제는 긍정적이었다. 이는 예술이 보다 광범위한 사회적, 정치적 맥락에서 역할을 할 수 있는 기회를 제공했다. 기계복제 기술은 예술의 본질적 변화를 초래했고 그는 특히 영화가 새로운 예술 형식으로서 중요한 역할을 한다고 했다. .영화는 기계적 복제를 통해 원본성과 아우라의 개념을 초월하며, 대중에게 직접적으로 영향을 미칠 수 있는 매체가 되었다. 이를 통해 예술은 더 이상 고립된 미적 경험이 아니라,

대중의 의식과 사회적 변화를 이끌어가는 중요한 도구로 작용하게 되었다.

베냐민은 또한 기계복제 시대의 예술이 기존의 예술 개념을 재구성하고, 새로운 형태의 예술적 경험을 가능하게 한다고 주장했다. 예술 작품은 이제 반복적이고 대량 생산되는 동시에, 다양한 맥락에서 재해석되고 소비될 수 있게 되었다. 이는 예술이 끊임없이 재창조되고, 다양한 사회적 의미를 담아내는 과정을 촉진했다.

베냐민의 예술론은 기계복제 시대에 예술이 어떻게 변화하고, 그 사회적 기능이 어떻게 재정립되는지를 다각도로 탐구한다. 기계복제는 예술의 아우라를 소멸시키는 동시에, 예술의 민주화와 사회적 기능의 확대를 가능하게 했다. 베냐민은 이를 통해 예술이 더 이상 고정된 가치나 형태가 아니라, 끊임없이 변화하고 재해석되는 동적인 과정임을 강조했다.

발터 베냐민의 '서사적 예술'과 '서술자의 쇠퇴'에 대한 논의는 그의 에세이 『이야기꾼: 니콜라이 레스코프의 작품을 중심으로』에서 전통적인 이야기와 현대적 서사이 변화에 대헤 탐구했다. 그는 전통적인 이야기꾼의 역할과 그 중요성을 강조하면서, 현대 사회에서 서술자의 쇠퇴를 우려했다. 전통적인 이야기꾼은 공동체 내에서 경험과 지혜를 전달하는 중요한 역할을 했고 이러한 이야기는 구체적인 삶의 경험과 역사적 맥락을 반영하며, 청중과의 상호작용을 통해 살아 있는 지식으로 전달되었다.

그러나 현대에 들어서면서 인쇄 기술과 매스미디어의 발달로 인해, 이야기의 전달 방식과 내용이 크게 변했다. 베냐민은 이러한 변화가 서술자의 쇠퇴를 가져왔다고 보았다. 현대의 서사는 개인적 경험보다는 대량 생산된 정보와 사건 중심의 보도로 대체되었으며, 이는 이야기의 깊이와 의미를 감소시키는 결과를 초래했다. 베냐민은 특히 소설의 부상을 통해 서사적 예술이 변화했다고 분석했다. 소설은 개인의 내면적 경험과 감정을 중심으로 하는 경향이 강해, 전통적인 이야기의 공동체적 성격을 상실하게 되었다. 이로 인해 독자와 이야기 사이의 상호작용이 줄어들고, 서술자의 역할이 축소되었다. 또한, 베냐민은 현대 서사에서 경험의 가치를 잃어버리는 것을 우려했다. 전통적인 이야기는 청중에게 삶의 교훈과 지혜를 전달했지만, 현대 서사는 주로 정보 전달에 집중되어 있어, 경험의 깊이와 의미를 전달하는 능력이 약화되었다. 그는 이런 변화가 현대인의 경험과 이해의 폭을 제한한다고 보았다.

클레멘트 그린버그: 모더니즘과 추상 예술

클레멘트 그린버그의 예술론에서 중요한 주제는 '모더니즘과 추상 예술'이다. 그린버그는 모더니즘을 자율성과 순수성을 추구하는 예술 운동으로 정의했다. 그는 모더니즘이 예술의 각 매체가 자신의 고유한 특성을 탐구하고 발전시키는 과정이라고 보았다. 특히, 회화에서 모더니즘은 평면성, 즉 2차원의 캔버스 표면에 집중하며, 전통적인 원근법이나 환영주의를 배제하고 순수한 시각적 경험을 강조했다.

그린버그는 모더니즘이 예술의 자기 비판적 성격을 강화한다고 주장했다. 각 예술 매체는 자신만의 고유한 특성을 탐구하면서, 외부의 영향을 배제하고 내적인 논리에 따라 발전해야 한다는 것이다. 예를 들어, 회화는 평면성과 색채, 선 등 회화 자체의 요소에 집중하며, 조각이나 문학 등의 다른 매체와 구분되는 독자적인 영역을 구축해야 한다고 보았다.

추상 예술에 대해서도 그린버그는 긍정적인 평가를 내렸다. 그는 추상 예술이 모더니즘의 이념을 가장 잘 구현한 형태라고 보았다. 추상 예술은 구체적인 형태나 서사를 배제하고, 순수한 시각적 요소에 집중함으로써 회화의 본질을 탐구한디. 이는 예술이 더 이상 외부의 현실을 모방하는 것이 아니라, 자신만의 고유한 세계를 창조하는 행위로 변모하는 과정을 의미한다.

그린버그는 모더니즘이 예술의 순수성을 회복하는 과정이라고 주장했다. 그는 예술이 외부의 사회적, 정치적, 상업적 영향에서 벗어나, 자기 자신의 고유한 논리와 기준에 따라 발전해야 한다고 보았다. 이러한 관점에서 그는 모더니즘이 예술의 진정한 가치를 발견하고, 그 본질을 탐구하는 중요한 운동이라고 평가했다.

또한, 그린버그는 모더니즘이 예술의 역사적 발전 과정에서 필연적인 단계라고 보았다. 그는 모더니즘이 전통적인 예술 형식과 개념을 해체하고, 새로운 가능성과 잠재성을 탐구하는 과정을 통해 예술이 끊임없이 발전해 나간다고 주장했다. 이는 예술이 정체되지 않고,, 지속적으로 자기 혁신을 추구하는 동적인 과정임을 의미한다.

그는 모더니즘과 추상 예술에 대한 예술론은 예술의 자율성과 순수성을 강조하며, 각 예술 매체가 자신의 고유한 특성을 탐구하는 과정을 통해 발전해야 한다는 주장을 담고 있다. 그는 모더니즘이 예술의 본질을 탐구하고, 새로운 가능성을 모색하는 중요한 운동이라고 평가하며, 이를 통해 예술이 끊임없이 자기 혁신을 추구하는 과정임을 강조했다.

클레멘트 그린버그의 또 다른 예술론은 '키치와 아방가르드'에 대한 논의다. 그는 1939년에 발표한 에세이 "아방가르드와 키치"에서 이 두 개념을 대비하며 현대 예술의 방향성을 탐구했다.

그린버그는 키치를 대중 문화의 산물로 보고, 상업적이고 표피적인 예술 형식으로 간주했다. 키치는 대중의 감정과 욕구에 영합하며, 표면적인 즐거움을 제공하는 데 그친다고 보았다. 이는 주로 상업적 목적으로 생산되며, 예술적 깊이와 혁신을 결여하고 있다고 평가했다. 키치는 일상적인 경험과 저속한 감각에 의존하여, 진정한 예술적 가치를 희석시키고 대중의 미적 경험을 피상적으로 만든다고 비판했다.

반면, 아방가르드는 전위 예술을 의미하며, 예술의 본질을 탐구하고 혁신을 추구하는 경향을 대표한다.

그린버그는 아방가르드가 예술의 자율성과 순수성을 유지하고, 기존의 전통과 규범을 넘어 새로운 표현 방식을 개척하는 데 중점을 둔다고 보았다. 아방가르드는 예술의 본질적인 가치를 탐구하며, 형식적 실험과 창조적 과정을 통해 예술의 경계를 확장한다. 그린버그는 아방가르드가 예술의 발전과 혁신을 이끄는 중요한 역할을 한다고 주장했다. 그는 아방가르드 예술이 관습과 전통에 도전하며, 새로운 미적 경험을 창출하는 과정에서 예술의 진정한 의미를 발견할 수 있다고 보았다. 아방가르드는 대중의 취향에 영합하지 않고, 예술가의 독창성과 창조적 비전을 중시하며, 이를 통해 예술의 진정한 가치를 유지하고 발전시킨다고 평가했다.

그린버그는 아방가르드와 키치의 대비를 통해 예술이 상업적이고 대중적인 요소에 타협하지 않고, 고유의 독립성을 유지해야 한다는 점을 강조했다. 그는 예술이 대중의 취향에 맞추어 변질되는 것을 경계하며, 예술의 진정한 가치는 혁신과 자기 탐구에 있다고 보았다.

이를 통해 그린버그는 예술의 자율성과 순수성을 강조하며, 예술이 상업적 영향에서 벗어나 독립적으로 발전해야 한다는 주장을 펼쳤다.

따라서 예술의 자율성과 순수성을 강조하며, 예술이 상업적 대중 문화의 영향에서 벗어나 독창성과 혁신을 추구해야 한다는 중요한 메시지를 담고 있다. 이는 예술의 본질과 역할을 재고하게 하며, 현대 예술의 방향성을 제시하는 중요한 이론적 틀을 제공한다.

존 듀이: 예술의 경험

존 듀이는 그의 저서 『예술과 경험』에서 예술을 인간 경험의
중요한 부분으로 설명한다. 듀이에게 예술은 단순히 작품을
감상하는 행위가 아니라, 일상 생활 속에서 경험하는 모든 것
들과 깊이 연관된 창조적 과정이다. 그는 예술이 삶의 경험을
풍부하게 하고, 개인과 사회가 자신의 감정과 생각을 표현하
고 소통하는 수단이라고 보았다.

듀이는 예술을 일상 경험과 분리된 고립된 영역으로 보지 않
는다. 그는 예술이 우리의 일상적인 경험과 연속성을 갖는다
고 주장한다. 예술 작품은 일상적 경험의 연장선상에 있으며,
감각적이고 정서적인 경험을 강화하고 집중시킨다. 이를 통해
예술은 우리가 일상에서 간과하기 쉬운 감정과 생각을 표면
으로 드러내어 새로운 통찰을 제공한다.

듀이는 또한 예술이 지닌 교육적 가치를 강조한다. 그는 예술
이 개인의 감수성을 개발하고, 창의적 사고를 촉진하며, 사회
적 연대감을 형성하는 데 중요한 역할을 한다고 보았다. 예술
을 통해 우리는 다양한 문화와 경험을 이해하고, 서로 다른
시각을 존중하게 된다.

이는 민주적 사회에서 중요한 가치로 작용한다.

또한, 듀이는 예술 창작 과정에서의 참여와 상호작용의 중요

성을 강조했다. 예술가와 관객 사이의 상호작용은 예술 경험을 더욱 풍부하고 의미 있게 만든다. 예술가는 자신의 경험을 작품에 담아내고, 관객은 이를 통해 자신의 경험과 연결시키며 새로운 의미를 발견한다. 이 과정에서 예술은 단순한 감상의 대상이 아니라, 적극적인 경험과 참여를 요구하는 활동이 된다.

듀이의 예술론은 예술을 단순히 미적 감상으로 제한하지 않고, 삶의 모든 측면과 연결된 풍부하고 복합적인 경험으로 확장한다. 그는 예술이 개인과 사회에 깊은 영향을 미치며, 우리의 일상 경험을 재구성하고 풍요롭게 하는 중요한 역할을 한다고 강조한다. 이를 통해 듀이는 예술이 인간 경험의 중심에 있음을 밝히며, 예술이 갖는 다양한 기능과 가치를 포괄적으로 설명한다.

존 듀이의 예술론에서 예술 경험의 본질을 설명하는 데 중요한 개념은 '상호작용과 일체성'이다.

그는 예술 경험이 단순히 예술 작품과 관객 사이의 일방적인 관계가 아니라, 상호작용을 통해 형성된다고 주장하며 예술을 창작하는 과정과 이를 감상하는 과정 모두에서 상호작용이 중요하고 설명하였다. 이는 예술가와 관객은 작품을 통해 서

로 연결되며, 이 연결은 일종의 일체성을 형성한다고 하는 것
으로 상호작용의 측면에서, 예술가는 자신의 경험과 감정을
작품에 반영하고, 이를 통해 관객과 소통이라 하였다. 이 과
정에서 예술가는 관객의 반응을 예측하고, 이를 고려하여 작
품을 조율하게 된다. 반면, 관객은 예술 작품을 감상하면서
자신의 경험과 감정을 투영하고, 작품과의 상호작용을 통해
새로운 의미와 통찰을 얻는다. 따라서 예술 작품은 단순한 물
리적 객체를 넘어, 살아 있는 경험의 매개체로 기능한다.

일체성의 개념은 예술 경험이 단절된 개별적 사건이 아니라,
통합된 전체적 경험임을 강조한다. 듀이는 예술 작품이 우리
의 일상 경험과 분리되지 않고, 오히려 그 연장선상에 있다고
주장한다. 예술 경험은 일상적인 경험의 일부로, 우리의 삶
속에서 자연스럽게 녹아들어야 한다. 이러한 일체성은 예술이
우리의 정서적, 지적, 감각적 경험을 통합하여 풍부하게 만드
는 데 기여한다. 듀이는 또한 예술 경험이 일체성을 통해 개
인의 자아를 확장하고, 사회적 연대감을 형성한다고 보았다.
예술은 개인의 경험을 공감과 이해를 통해 타인과 공유하게
하고, 이를 통해 사회적 유대를 강화하여 사회적 역할을 수행
하는 중요한 매개체임을 의미한다.

린다 노클린: 페미니즘과 예술

린다 노클린의 예술론은 페미니즘과 예술의 관계를 중심으로
한다. 그녀는 1971 년 발표한 논문 "왜 위대한 여성 예술가
는 존재하지 않는가?"를 통해 예술사에서 여성 예술가의 부
재를 탐구하고, 그 원인을 사회적, 제도적 억압에서 찾았다.
그녀는 예술적 재능이 성별에 따라 다르지 않음에도 불구하
고, 여성 예술가들이 역사적으로 저평가되고 배제된 이유를
분석했다. 여성 예술가들의 작품과 삶을 재조명함으로써 예술
사에 대한 이해를 넓히고, 성별에 따른 편견을 제거하려고 했
다. 이는 단순히 여성 예술가들을 예술사에 포함시키는 것을
넘어서, 예술 작품의 해석과 평가 기준을 재정립하는 것을 의
미한다. 예를 들어, 그녀는 여성 예술가들이 주로 다루었던
주제와 스타일을 존중하고, 그것들이 가지는 고유한 미적 가
치를 인정할 것을 주장했다.

노클린은 예술 작품이 단지 개인의 창작물이 아니라, 그것이
창작된 사회적, 정치적, 경제적 조건의 산물임을 강조했다. 특
히 여성 예술가들의 작품은 그들이 살았던 시대와 사회의 제
약과 기회 속에서 이해되어야 한다고 보았다

노클린은 여성들이 예술계에서 성공하기 어려운 이유로 교육
기회의 부족을 꼽았다. 역사적으로 여성들은 미술 아카데미에

접근할 수 없었고, 누드 드로잉과 같은 핵심적인 기술을 배울 기회도 제한되었다. 이러한 교육적 배제는 여성들이 주요 예술가로 인정받지 못하게 하는 중요한 요인으로 작용했다. 그녀는 이러한 구조적 불평등이 여성 예술가의 역량을 제한하고, 그들의 작품이 평가 절하되는 결과를 낳았다고 주장했다.

또한, 노클린은 예술의 정의와 기준이 남성 중심적이라는 점을 지적했다. 전통적으로 예술은 남성적 시각과 경험을 중심으로 정의되어 왔고, 이는 여성의 관점과 경험이 예술적 가치로 인정받기 어려운 환경을 조성했다. 예술의 기준이 보다 포괄적이고 다양성을 인정하는 방향으로 변화해야 한다고 주장했다. 이를 통해 여성 예술가들이 자신의 독특한 시각과 경험을 표현할 수 있는 공간을 확보해야 한다는 것이다. 노클린은 또한, 예술사에서 여성 예술가들의 기여가 의도적으로 무시되거나 왜곡되었음의 재검토와 수정이 필요하며, 여성 예술가들의 작품과 업적을 재평가해야 한다고 강조했다.

이는 단순히 과거의 오류를 바로잡는 것이 아니라, 현재와 미래의 예술계에서 성평등을 실현하는 중요한 단계로 본다. 그녀는 교육 기회의 평등, 예술의 정의와 기준의 재검토, 그리고 여성 예술가들의 기여에 대한 재평가를 통해 예술계에서 성평등을 실현하고자 한다. 노클린의 예술론은 페미니즘 시각에서 예술사를 재조명하고, 예술계의 구조적 변화를 촉구하는 중요한 이론적 기반을 제공한다.

수전 손택: 해석에 반대한다

수전 손택은 1964 년 에세이 "해석에 반대한다"에서 예술 작품에 대한 과도한 해석을 비판하며, 예술을 있는 그대로 경험하고 즐길 것을 주장했다. 그녀는 해석이 예술 작품의 본래 의미를 왜곡하고, 작품에 대한 직접적이고 순수한 경험을 방해한다고 보았다. 그녀는 해석이 작품을 '읽는' 방식이 아니라, '감각적'으로 접근해야 한다고 주장한다. 예술 작품을 분석하고 해석하는 행위가 일종의 방어 기제라고 본다. 해석은 우리가 이해하지 못하는 것에 대한 두려움을 감추기 위한 시도이며, 이를 통해 예술 작품을 우리가 이해할 수 있는 범주로 끌어내린다고 지적한다. 이러한 해석은 예술 작품의 다층적 의미와 복잡성을 단순화하고, 결국 작품의 진정한 아름다움과 힘을 손상시킨다. 그녀는 예술이 본질적으로 모호하고 다의적이며, 이러한 특성이 예술의 핵심적인 매력이 라고 강조한다. 예술 작품은 다양한 감각적 경험과 정서적 반응을 불러일으키며, 이는 해석을 통해 명확한 의미로 환원될 수 없는 것이다. 손택은 예술 작품이 갖는 이러한 다층적이고 모호한 특성을 받아들이고, 이를 통해 예술의 본질에 더욱 가까워질 수 있다고 주장한다. 또한, 손택은 해석이 문화적, 정치적 도구로 사용되는 방식에도 비판적이다. 해석은 종종 특정한 이념이나 권력 구조를 강화하는 수단으로 이용되며, 이를 통해 예술 작품의 원래 의미를 왜곡하고 재구성한다고 본다. 그녀는 이러한 해석이 예술의 자유롭고 자율적인 본성을 훼손한다고 주장한다.

수전 손택은 "해석에 반대한다"를 통해 예술 작품에 대한 과도한 해석을 비판하고, 작품의 본래적이고 감각적인 경험을 중시할 것을 주장한다. 그녀는 예술 작품을 있는 그대로 받아들이고, 그 다층적이고 모호한 특성을 즐기는 것이 예술을 진정으로 이해하는 길이라고 강조한다. 이를 통해 손택은 예술 작품에 대한 접근 방식을 근본적으로 재고할 것을 촉구하며, 예술의 본질에 대한 새로운 관점을 제시한다.

수전 손택의 예술론에서 또 다른 중요한 주제는 그녀의 에세이 "캠프에 관한 노트"에서 다룬 '캠프(Camp)' 미학이다. 손택은 이 에세이에서 캠프가 예술과 문화에 미치는 영향을 분석하며, 캠 손택은 캠프를 '진지함 속의 과장된 유머와 인위성'으로 정의하며, 이를 일종의 미학적 감수성으로 설명한다. 캠프는 진지함을 가장하면서도 과장되고 인위적이 특선을 지닌다. 이는 종종 저급하거나 상업적인 것으로 간주되는 문화 형태에서 발견된다. 손택은 캠프가 단순한 취향을 넘어서, 예술과 문화에 대한 새로운 시각을 제공한다고 주장한다.

캠프는 전통적인 미적 기준과는 다른, 독특한 아름다움을 추구한다. 손택은 캠프가 '나쁜 취향의 즐거움'을 강조하며, 이는 고급 예술과 대조되는 대중문화의 요소들에서 나타난다고 설명한다. 캠프는 의도적으로 과장되고 인위적인 요소들을 통해 새로운 미적 경험을 제공하며, 이를 통해 예술의 경계를 확장한다. 손택은 캠프가 사회적 규범과 권위에 도전하는 역할을 한다고 본다. 캠프는 전통적인 미적 기준과 가치에 대한 반발로, 이를 전복하고 새로운 가능성을 탐구한다. 이는 종종 성별, 성적 지향, 사회적 계급과 같은 고정된 정체성에 도전하며, 이러한 정체성의 유동성과 복잡성을 드러낸다.

손택은 이를 통해 캠프가 사회적 변화를 촉진하는 잠재력을 지닌다고 주장한다.

따라서 손택은 캠프가 예술과 삶의 경계를 허무는 데 기여한다고 본다. 캠프는 예술 작품뿐만 아니라 패션, 영화, 디자인 등 일상 생활의 다양한 측면에서 나타나며, 이를 통해 예술이 일상 생활 속에 깊이 스며들어 있음을 보여준다. 이는 예술이 특별한 경험이 아니라, 일상적인 경험의 일부로서 기능할 수 있음을 시사한다.

니콜라 부리오: 관계적 미학

니콜라 부리오는 그의 저서 『관계적 미학』에서 현대 예술의 새로운 경향을 설명하기 위해 '관계적 미학'이라는 개념을 제시했다. 부리오는 현대 예술이 더 이상 고정된 형태와 의미를 갖는 작품을 생산하는 것이 아니라, 인간 사이의 관계를 창출하고 탐구하는 데 중점을 두고 있다고 주장한다. 그는 예술이 사람들 간의 상호작용과 사회적 관계를 형성하는 매개체로서 기능할 수 있다고 본다.

부리오는 관계적 미학이 전통적인 미학적 가치와 평가 기준을 넘어선다고 설명한다. 전통적인 예술은 주로 개별 작품의 미적 가치와 형식적 완성도를 평가하는 데 중점을 두었으나, 관계적 미학은 작품이 창출하는 사회적 상호작용과 경험을 중시한다. 이 관점에서 예술 작품은 단순한 물리적 객체가 아니라, 사람들 간의 관계를 촉진하고 공동체적 경험을 창출하는 과정으로 이해된다.

또한, 부리오는 관계적 미학이 관객의 역할을 재정립한다고 주장한다. 전통적인 예술 감상에서는 관객이 수동적인 역할을 했다면, 관계적 미학에서는 관객이 적극적으로 작품에 참여하고, 이를 통해 새로운 의미와 가치를 만들어낸다.

예술 작품은 고정된 의미를 전달하는 것이 아니라, 관객의 참여와 상호작용을 통해 끊임없이 변화하고 재구성된다.

부리오는 이러한 관계적 미학이 현대 사회의 변화와 맞물려 있다고 본다. 그는 현대 사회가 점점 더 상호연결되고 복잡해짐에 따라, 예술도 이러한 사회적 변화에 대응하여 새로운 형태의 상호작용과 관계를 탐구하게 된다고 주장한다. 이는 예술이 단순히 개인적인 경험을 넘어, 사회적이고 공동체적인 경험을 창출하는 역할을 한다는 점에서 중요하다.

관계적 미학은 또한 예술가의 역할을 재정립한다. 예술가는 더 이상 고립된 천재가 아니라, 사회적 관계와 상호작용을 촉진하는 촉매자로서 기능한다. 예술가는 작품을 통해 사람들 간의 새로운 관계를 형성하고, 이를 통해 사회적 변화를 이끌어낼 수 있다.

결론적으로, 니콜라 부리오의 관계적 미학은 예술이 사람들 간의 관계를 창출하고 탐구하는 과정으로서 역할을 강조한다. 그는 예술이 전통적인 미학적 가치와 평가 기준을 넘어, 사회적 상호작용과 공동체적 경험을 중시해야 한다고 주장한다. 이를 통해 부리오는 현대 예술이 사회적 변화와 맞물려 새로운 형태의 예술적 경험을 창출할 수 있는 가능성을 제시한다.

니콜라 부리오는 '관계적 미학' 외에도 현대 예술과 관련된

다른 중요한 개념들을 제시했다. 특히, 그는 예술 작품과 전시의 형식, 예술의 정치적 역할 등에 대한 논의를 통해 현대 예술에 대한 포괄적인 이해를 제시했다.

부리오는 또한 '포스트 프로덕션' 개념을 통해 현대 예술의 새로운 경향을 설명했다. 이 개념은 현대 예술가들이 기존의 이미지를 재사용하고 재배치하는 방식에 주목하는 것이다. 그는 예술가들이 디지털 기술과 인터넷을 활용하여 기존의 미디어와 이미지를 변형하고 재구성하는 방식을 분석했다. 이는 전통적인 창작 방식에서 벗어나, 이미 존재하는 요소들을 재배치하고 새로운 의미를 부여하는 과정이다.

포스트 프로덕션 예술은 원본의 개념을 해체하고, 재사용과 재배치를 통해 새로운 의미와 맥락을 창출한다. 부리오는 이러한 경향이 현대사회에서 이미지와 정보의 과잉 생산과 소비라는 맥락에서 나타난다고 본다. 예술가들은 이미 존재하는 자료를 재활용하고, 이를 통해 새로운 미적 경험과 비판적 사고를 유도한다.

부리오는 예술의 정치적 역할에 대한 논의도 제시했다. 그는 예술이 단순한 미적 경험을 넘어 사회적, 정치적 변화를 촉진할 수 있는 잠재력을 지니고 있다고 주장한다. 정치적 미학은 예술이 사회적 현실을 반영하고, 이를 비판하며, 나아가 변화를 촉구하는 역할을 한다고 본다.

부리오는 현대 예술가들이 정치적 메시지를 전달하기 위해 다양한 방법을 사용한다고 분석했다. 이는 예술 작품을 통해 사회적 불평등, 인권 문제, 환경 문제 등 다양한 정치적 이슈를 제기하고, 관객들이 이에 대해 생각하고 행동하도록 유도하는 것이다.

예술은 이 과정에서 사회적 상상력을 자극하고, 새로운 사회적 가능성을 탐구하는 중요한 도구가 된다.

현대 예술 전시의 형식 변화에도 주목한. 그는 전시가 단순히 작품을 보여주는 공간이 아니라, 예술적 경험과 상호작용을 촉진하는 장으로 변모했다고 주장한다. 현대 예술 전시는 관객이 적극적으로 참여하고, 작품과 상호작용하며, 새로운 의미를 창출할 수 있는 공간으로 설계되는 것이다.

이는 전시 형식의 변형은 또한 작품과 공간의 경계를 허물고, 관객이 전시 공간에서 다양한 방식으로 예술을 경험할 수 있도록 한다. 이는 전통적인 전시 방식에서 벗어나, 관객의 참여와 상호작용을 강조하는 현대 예술의 특징을 반영한다. 니콜라 부리오는 '관계적 미학' 외에도 '포스트 프로덕션', '정치

적 미학', '전시 형식의 변형' 등의 개념을 통해 현대 예술의
다양한 측면을 탐구했다. 그의 연구는 현대 예술이 단순한 미
적 경험을 넘어 사회적, 정치적 역할을 수행하며, 새로운 형
태의 예술적 경험을 창출하는 데 중요한 시사점이다.

자크 데리다: 해체주의와 예술

자크 데리다는 그의 해체주의 철학을 통해 예술에 대한 독특한 관점을 제시했다. 데리다는 예술 작품이 단순히 고정된 의미를 전달하는 것이 아니라, 무한한 해석 가능성을 지니고 있다고 주장한다. 해체주의는 텍스트와 이미지의 의미가 고정되지 않고, 다양한 해석을 통해 끊임없이 변화하고 재구성된다고 본다. 이는 예술 작품도 마찬가지로 하나의 단일한 의미로 환원될 수 없으며, 관객의 해석에 따라 다양한 의미를 생성하게 된다.

데리다는 예술 작품을 텍스트로 간주하며, 이 텍스트가 지닌 복잡한 구조와 의미의 다층성을 연구하여 예술 작품이 표면적인 아름다움이나 명확한 메시지를 넘어, 숨겨진 의미와 모순을 드러내는 방식에 주목했다. 이를 통해 예술은 단순한 미적 경험을 넘어, 관객에게 새로운 사고와 비판적 시각을 제공하는 도구가 된다고 설명하였다.

또한, 데리다는 예술 작품이 기존의 질서와 권위를 해체하는 힘을 지니고 있다고 본다. 해체주의는 기존의 권력 구조와 이념을 비판하며, 예술 작품을 통해 이러한 구조를 드러내고 재고하게 만드는 예술이 사회적, 정치적 맥락에서 중요하고 하였다. 예술은 기존의 규범과 질서를 흔들고, 새로운 가능성과 변화를 촉진하는 역할을 한다. 데리다의 해체주의는 또한 예술 작품의 경계를 모호하게 만든다. 그는 예술과 비예술, 고급 예술과 대중 예술 사이의 경계가 해체될 수 있다고 주장한다. 이는 예술이 특정한 기준이나 규범에 의해 정의되지 않고, 다양한 형태와 표현 방식을 포용할 수 있음을 의미한다. 이러한 접근은 예술의 경계를 확장하고, 새로운 형태의 예술적 실험과 표현을 가능하게 한다.

자크 데리다의 해체주의는 예술 작품이 지닌 무한한 해석 가능성과 의미의 다층성을 강조하며, 예술이 기존의 질서와 권위를 해체하고 새로운 가능성을 탐구하는 중요한 도구임을 제시한다. 그의 철학은 예술을 단순한 미적 경험이 아닌, 비판적 사고와 사회적 변화를 촉진하는 중요한 매체로서 이해하게 한다.

자크 데리다는 해체주의 외에도 예술과 관련된 다른 중요한 개념들을 제시했다. 특히 그는 '텍스트성'과 '에크프라시스'에 대한 논의를 통해 예술과 문학, 시각 예술 간의 관계를 분석했다.데리다는 모든 예술 작품이 텍스트처럼 읽히고 해석될 수 있다고 주장했다. 그는 "텍스트 밖에는 아무것도 없다"라는 유명한 명제를 통해, 예술 작품을 포함한 모든 것이 텍스트로서 해석될 수 있는 대상임을 강조했다. 이 개념은 문학뿐만 아니라 시각 예술, 음악, 건축 등 다양한 예술 형태에 적용될 수 있다. 예술 작품은 고정된 의미를 전달하는 것이 아니라, 독자나 관객에 의해 끊임없이 재해석되고 재구성된다.

에크프라시스(ecphrasis)는 예술 작품을 언어로 묘사하는 행위를 의미하며, 데리다는 이 개념을 통해 예술과 언어의 상호작용을 적용하여 연구했다. 그는 언어가 시각 예술을 어떻게 묘사하고 해석하는지를 분석하면서, 언어와 이미지 간의 관계를 재고했다. 에크프라시스는 단순히 시각 예술을 설명하는 것을 넘어서, 언어가 이미지의 의미를 어떻게 형성하고 변형시키는지를 보여주었다. 예술 작품의 '맹점'에 주목한 그는 예술 작품이 지닌 명백한 의미뿐만 아니라, 숨겨진 의미와 모순, 빈틈까지 강조했다. 이러한 맹점은 예술 작품이 단순히 명확한 메시지를 전달하는 것이 아니라, 다양한 해석 가능성을 열어주는 중요한 요소로 작용하며 예술 작품이 지닌 복잡성과 다층성을 드러내며, 관객에게 새로운 사고와 감상의 기회를 제공한다. 사회적, 정치적 맥락과도 깊이 연결되어 있는 예술 작품은 그 자체로 하나의 정치적 행위가 될 수 있으며, 이를 통해 사회적 권력 구조와 이념을 재구성하고 도전할 수 있다.

롤랑 바르트: 텍스트와 이미지

롤랑 바르트는 텍스트와 이미지의 관계를 탐구하며, 이 두 매체가 서로 어떻게 상호작용하고 의미를 생성하는지를 분석했다. 그는 이미지가 단순한 시각적 재현이 아니라, 복잡한 의미 체계를 형성한다고 보았다. 이미지가 텍스트와 결합할 때 새로운 의미를 창출할 수 있으며, 이는 단순히 각각의 매체가 독립적으로 작용하는 것이 아니라, 상호작용을 통해 더욱 풍부한 의미를 형성한다는 것을 밝혔다.

사진을 분석하면서 '앵커링(anchoring)'과 '릴레이(relay)'라는 개념도 제시했다. 앵커링은 이미지가 불러일으킬 수 있는 여러 해석 중 하나를 텍스트가 제한하는 역할을 의미한다. 예를 들어, 신문 기사에서 사진은 여러 가지로 해석될 수 있지만, 기사 제목이나 설명이 사진의 의미를 특정 방향으로 제한하게 된다. 반면에 릴레이는 텍스트와 이미지가 상호 보완하며, 각각이 독립적으로 의미를 생성하지만, 동시에 결합되어 더 큰 의미를 형성하는 과정을 말한다.

또한, 바르트는 '스투디움(studium)'과 '푼크툼(punctum)'이라는 개념을 통해 이미지의 감성적 반응을 설명했다.

스투디움은 이미지가 일반적으로 불러일으키는 지적이고 문화적인 관심을 의미하며, 관객이 이미지의 맥락과 내용을 이해하는 데 도움을 준다. 반면, 푼크툼은 이미지의 일부가 관객에게 개인적으로 깊은 감정을 불러일으키는 요소를 말한다. 이는 이미지가 단순히 정보 전달을 넘어, 개인적이고 감성적인 경험을 제공하는 방식을 설명한다.

바르트는 텍스트와 이미지의 관계를 통해 권력과 이념의 작동 방식을 분석하여 이미지를 통해 전달되는 메시지가 어떻게 특정한 이념을 강화하고, 권력을 유지하는 데 사용될 수 있는지를 연구했다. 이는 이미지가 단순한 시각적 재현이 아니라, 사회적이고 정치적인 의미를 내포하고 있음을 강조한다.

롤랑 바르트의 또 다른 중요한 예술 개념 중 하나는 '저자의 죽음'이라는 개념이다. 이 개념은 그의 에세이 "저자의 죽음 (The Death of the Author)"에서 제시되었으며, 예술 작품의 의미와 해석에 대한 전통적인 관점을 근본적으로 재고하게 만들었다.

바르트는 "저자의 죽음"에서 예술 작품의 의미가 저자의 의도에 국한되지 않는다고 주장했다. 그는 저자가 작품을 창작한 순간, 그 작품은 독립적인 존재가 되며, 독자의 해석에 따라 다양한 의미를 가질 수 있다고 보았다. 이 개념은 독자가 작품의 의미를 창출하는 데 중요한 역할을 하며, 독자의 해석이 작품의 의미를 형성하는 데 있어서 저자의 의도보다 더 중요한 요소가 된다는 것을 강조한다.

바르트는 이 개념을 통해 문학뿐만 아니라 시각 예술, 영화, 음악 등 다양한 예술 형태에 적용할 수 있는 새로운 해석 방법을 제시했다. 예술 작품을 이해하는 데 있어서 저자의 전기나 의도에 의존하는 대신, 작품 자체의 구조와 독자의 반응에 집중하게 한다. 이는 작품이 고정된 의미를 갖지 않고, 다양한 해석 가능성을 열어두며, 각 독자가 작품과 상호작용하는 방식에 따라 의미가 달라질 수 있음을 설명한다.

또한, 바르트는 "텍스트의 즐거움(The Pleasure of the Text)"에서 독자의 역할을 더욱 강조했다. 그는 독자가 텍스트를 읽는 과정에서 느끼는 즐거움과 감정적 반응이 작품의 의미 형성에 중요한 역할을 한다고 주장했다. 이는 예술 작품이 단순히 정보나 메시지를 전달하는 도구가 아니라, 독자가 감각적이고 감정적인 경험을 통해 의미를 창출하는 독창적인 과정임을 설명하였다. "저자의 죽음" 개념은 현대 비평 이론에 큰 영향을 미쳤으며, 예술 작품의 해석에서 독자의 주체성과 역할을 강조하는 새로운 접근 방식을 열어주었고 작품의 의미가 고정되지 않고, 독자의 해석과 경험에 따라 끊임없이 변화하고 재구성될 수 있음을 시사하였다.

롤랑 바르트의 "저자의 죽음" 개념은 예술 작품의 의미 형성에서 저자의 의도를 넘어, 독자의 해석과 경험을 중심으로 한 새로운 접근 방식을 제시한다.

에드문트 후설: 현상학과 예술

에드문트 후설은 현상학의 창시자로, 예술을 인간 경험의 중요한 부분으로 탐구했다. 후설의 현상학은 경험의 본질을 분석하고, 우리가 세계를 어떻게 지각하고 이해하는지를 탐구하는 철학적 방법론이다. 예술에 대한 후설의 접근은 예술 작품이 지각과 경험을 통해 어떻게 의미를 생성하는지에 초점을 맞춘다.

후설은 예술 작품이 단순히 물리적 객체가 아니라, 관객의 의식 속에서 의미를 갖는 현상이라고 보았다. 이는 예술 작품이 관객의 지각과 상호작용하며, 그 경험을 통해 다양한 의미를 창출하는 과정을 강조한다. 예술 작품은 단순한 시각적, 청각적 자극을 넘어서, 관객의 의식 속에서 형성되는 복합적인 의미 체계를 구성한다. 또한 예술 작품이 '의도성'을 통해 의미를 형성한다고 주장했다. 의도성은 우리의 의식이 항상 어떤 대상을 지향하고 있다는 개념으로, 예술 작품을 감상할 때 관객의 의식이 작품을 향해 열려 있는 상태를 말한다. 이 과정에서 관객은 예술 작품의 다양한 요소를 통합하여, 작품의 전체적인 의미를 구성하게 된다.

예술 작품의 '에포케' 또는 '판단 중지' 개념도 중요하다. 후설은 우리가 예술 작품을 감상할 때, 일상적인 판단과 편견을 유보하고 작품 자체에 집중해야 한다고 주장했다. 이는 예술 작품이 제공하는 순수한 경험에 몰입하게 하며, 작품의 본질적 의미를 더 깊이 이해하는 데 도움을 준다.

또한, 후설은 예술이 인간 경험의 깊이를 탐구하는 중요한 수단이라고 보았다. 예술 작품은 일상적인 경험을 초월하여, 인간 존재의 본질과 세계와의 관계를 탐구하게 한다. 이를 통해 예술은 단순한 미적 즐거움을 넘어서, 인간 존재에 대한 깊은 통찰을 제공한다.

따라서 에드문트 후설의 현상학적 접근은 예술 작품이 관객의 지각과 경험을 통해 어떻게 의미를 생성하는지를 탐구한다. 그는 예술 작품이 단순한 물리적 객체가 아니라, 관객의 의식 속에서 의미를 갖는 현상으로 보며, 의도성과 에포케 개념을 통해 예술 경험의 본질을 분석한다. 이를 통해 후설은 예술이 인간 존재와 세계를 깊이 이해하는 중요한 수단이다.

에드문트 후설의 예술론에서 또 다른 중요한 개념은 '내적 시간의식'과 '현상학적 환원'이다. 이 개념들은 예술 작품이 어떻게 시간과 경험을 통해 의미를 형성하는지, 그리고 이를 어떻게 인식할 수 있는지에 대한 후설의 탐구를 반영한다.

후설은 '내적 시간의식' 개념을 통해 시간과 경험이 어떻게 상호작용하는지를 탐구했다. 그는 인간의 의식이 시간 속에서 일어나는 사건들을 연속적으로 지각하고, 이를 통해 의미를 형성한다고 보았다. 예술 작품, 특히 음악과 같은 시간 기반 예술은 이러한 내적 시간의식을 통해 경험되고 음악은 시간 속에서 펼쳐지며, 청중은 이를 현재의 순간과 과거의 기억을 연결하여 경험하며 이러한 시간적 경험이 예술 작품의 본질적 부분이라고 주장했다.예술 작품이 제공하는 시간적 경험은 관객에게 일련의 연속적인 순간들을 제공하며, 이를 통해 관객은 작품의 전체적인 의미를 이해하게 된다.

이는 예술 작품이 단순히 정적인 이미지나 소리가 아니라, 시간 속에서 변하고 발전하는 과정임을 강조한다. 후설의 내적 시간의식 개념은 예술 작품이 어떻게 시간 속에서 경험되고, 이를 통해 의미를 형성하는지를 설명하는 중요한 틀을 제공한다.

현상학적 환원, 또는 '에포케'는 후설의 현상학에서 중요한 개념으로, 우리가 일상적인 판단과 편견을 유보하고 경험 자체에 집중하는 방법을 의미한다. 예술 작품을 감상할 때, 관객은 일상적인 판단을 잠시 중지하고, 작품 자체에 몰입해야 한다는 것이다. 이를 통해 예술 작품의 본질적 의미를 더 깊이 이해할 수 있게 된다.

이러한 접근을 통해 예술 작품이 제공하는 경험이 단순한 감각적 즐거움을 넘어서, 인간 존재와 세계에 대한 깊은 이해를 제공한다고 설명하였다. 내적 시간의식과 현상학적 환원 개념은 예술 작품이 어떻게 시간과 경험을 통해 의미를 형성하는지, 그리고 이를 어떻게 인식할 수 있는지를 설명하는 중요한 틀을 제공한다. 후설은 예술 작품이 단순한 감각적 자극을 넘어서, 인간 존재와 세계를 깊이 탐구하는 중요한 수단임을 강조했다.

마르셀 프루스트: 시간과 기억의 예술

마르셀 프루스트는 그의 소설 『잃어버린 시간을 찾아서』를 통해 시간과 기억의 예술에 대한 깊은 통찰을 제시했다. 프루스트는 시간의 흐름과 기억의 작용이 예술 창작과 감상의 본질적인 요소라고 보았다. 그의 작품은 시간의 흐름 속에서 과거의 경험이 어떻게 현재에 영향을 미치는지를 탐구하며, 이를 통해 인간이라는 존재의 복잡성을 드러낸다.

기억은 단순한 과거의 재현이 아니라, 현재의 순간에 의해 재구성되어 무의식적으로 떠오르는 자발적 기억, 즉 '기억의 플래시백'이 예술적 경험의 핵심이라고 보았다. 예를 들어, 소설 속 주인공이 마들렌을 먹으며 떠오르는 어린 시절의 기억은 시간과 감각이 결합된 강렬한 경험을 보여준다. 이처럼 프루스트는 감각과 기억이 결합하여 새로운 의미와 감정을 생성하는 과정을 예술적으로 표현한다.

또한, 프루스트는 예술이 시간의 흐름을 초월하여 영원한 진리를 포착하는 능력이 있다고 보았다. 그는 예술 작품이 일상의 일시적인 경험을 영원한 것으로 변형시키는 과정을 탐구했다. 이는 예술이 단순한 현실의 재현을 넘어서, 인간 경험의 깊이와 보편성을 드러내는 힘을 지닌다. 그는 시간의 흐름이 인간의 정체성과 존재를 형성하는 방식에 주목했다. 그는 시간 속에서 개인의 변화와 성장을 묘사하며, 이러한 과정이 예술 창작과 깊이 연관되어 있음을 보여준다. 예술가는 자신의 삶과 경험을 통해 시간의 본질을 탐구하고, 이를 작품에 담아내며, 이를 통해 독자나 관객에게 새로운 통찰을 제공한다. 마르셀 프루스트의 예술론에서 또 다른 중요한 관점은 '예술가의 역할과 창조 과정'이다. 그는 예술 창작이 단순히 외부 세계를 모방하는 것이 아니라, 예술가의 주관적인 경험과 감정을 통해 새로운 현실을 창조하는 과정이라고 주장했다. 예술 창작이 고통과 희열을 모두 포함하는 과정이라고 보았고 예술가가 자신의 삶과 경험에서 영감을 얻어 창작하는 동안, 종종 깊은 내면적 갈등과 고통을 겪는다고 주장했다. 그러나 이러한 과정을 통해 예술가는 자신의 경험을 초월하여 보편적인 인간 경험을 표현하는 작품을 만들어 내며 이 과정을 설명하였다. 예술가는 개인적인 고통을 보편적인 미적 가치로 승화시키며, 이를 통해 관객과 깊은 정서적 교감을 나누게 된다고 하였다. 프루스트는 예술이 시간과 기억의 한계를 넘어 영원한 진리를 포착하는 능력을 지니고 있다고 주장하며, 이를 통해 예술의 깊이와 보편성을 강조했다.

마르틴 부버: 만남과 관계의 예술

마르틴 부버는 그의 철학에서 '만남'과 '관계'를 중심으로 예술을 탐구했다. 부버는 인간 존재가 진정한 의미를 발견하는 방식으로 '나-너(I-Thou)' 관계를 강조했다. 이는 사람들 간의 깊고 진실한 만남을 통해 서로의 존재를 인식하고, 이를 통해 인간성이 드러나는 과정을 의미한다. 이러한 관점에서 예술은 단순한 창작 행위를 넘어, 예술가와 관객 사이의 진정한 만남과 관계를 형성하는 중요한 매개체로 작용한다.

부버는 예술 작품이 관객에게 단순히 미적 즐거움을 제공하는 것을 넘어서, 깊은 존재적 만남을 가능하게 한다고 보았다. 예술 작품은 관객과의 상호작용을 통해 새로운 의미를 창출하고, 이 과정에서 예술가와 관객은 서로의 존재를 인식하게 된다. 예술은 이렇게 '나-너' 관계를 형성하고, 이를 통해 인간 경험의 깊이를 탐구하는 중요한 도구가 된다.

또한, 부버는 예술이 인간 관계의 복잡성과 다층성을 드러내는 힘을 지니고 있다고 주장했다. 예술 작품은 다양한 인간 감정과 경험을 표현하며, 이를 통해 관객이 자신의 삶과 감정을 반영하고 성찰할 수 있게 한다. 예술은 인간 경험의 다양한 측면을 조명하며, 이를 통해 사람들 간의 이해와 공감을 증진시키는 역할을 한다. 그는 예술 창작 과정 자체도 중요한 만남의 순간으로 보았다.

예술가는 자신의 내면과 마주하고, 이를 작품으로 표현하면서 스스로와의 깊은 만남을 경험한다. 이 과정에서 예술가는 자신의 존재를 재발견하고, 새로운 자기 이해를 형성하게 된다. 이는 예술이 단순히 외부 세계를 재현하는 것이 아니라, 예술가의 내적 세계와의 진정한 만남을 통해 창조되는 것을 의미한다.따라서 마르틴 부버의 예술론은 만남과 관계의 중요성을 강조한다. 그는 예술이 인간 존재의 깊은 의미를 탐구하고, 예술가와 관객 사이에 진정한 관계를 형성하는 중요한 매개체라고 보았다. 예술 작품은 인간 감정과 경험을 표현하며, 이를 통해 사람들 간의 이해와 공감을 증진시키는 역할을 한다. 또한, 예술 창작 과정 자체도 예술가가 자신과의 깊은 만남을 경험하는 중요한 순간임을 강조하며, 이를 통해 예술의 본질을 탐구했다. 이 개념은 그의 예술론뿐만 아니라, 종교, 교육, 정치 등 다양한 분야에서 중요한 역할을 한다.

부버의 또 다른 중요한 연구 중 하나는 '대화적 존재'와 '커뮤니케이션의 본질'에 대한 탐구이다. 부버는 인간 존재를 '대화적 존재'로 정의하며, 인간이 진정으로 자신을 발견하고 타인과 깊은 관계를 맺는 방식으로 대화를 강조했다. 그는 대화가 단순히 정보 교환을 넘어, 사람들 사이의 깊은 이해와 공감을 형성하는 과정이라고 주장했다. 이 대화적 관계는 '나-너' 관계의 핵심으로, 서로를 주체로서 인정하고 존중하는 상호작용을 통해 이루어진다. 그는 '진정한 대화'의 중요성을 강조했고 진정한 대화는 상대방을 객체화하지 않고, 서로를 동등한 주체로서 대하는 것이라 하였다. 이러한 대화는 상호 존중과 개방성을 바탕으로 하며, 이를 통해 인간 존재의 깊은 의미를 발견할 수 있다고 설명하였다. 이러한 대화적 관계가 인간 삶의 모든 영역에서 중요하다고 보았다. 또한, 부버는 '내적 대화'의 개념도 제시했다. 이는 개인이 스스로와의 대화를 통해 자기 이해를 깊게 하고, 자신의 존재를 재발견하는 과정을 의미한다. 내적 대화는 개인이 자신의 감정, 생각, 경험을 성찰하고, 이를 통해 자기 자신과의 진정한 만남을 이루는 중요한 방식이다. 부버는 이러한 내적 대화가 외적 대화와 마찬가지로 중요한 역할을 한다고 주장했다.

부버의 커뮤니케이션 이론은 또한 공동체와 사회적 관계의 본질을 탐구하는 데 중요한 통찰을 제공한다. 그는 인간이 사회적 존재로서, 대화를 통해 공동체를 형성하고 유지한다고 보았다. 대화는 사회적 연대와 협력을 가능하게 하며,

이를 통해 공동체의 성장을 촉진한다. 부버는 이러한 대화적 관계가 민주주의와 평화로운 사회의 기초라고 주장했다.

마르틴 부버의 '대화적 존재'와 '커뮤니케이션의 본질'에 대한 연구는 인간 존재의 본질을 탐구하고, 진정한 이해와 공감을 형성하는 대화의 중요성을 강조한다. 부버는 대화를 통해 사람들 사이의 깊은 관계를 형성하고, 이를 통해 개인과 공동체의 성장을 촉진할 수 있다고 보았다. 이러한 접근은 인간 삶의 모든 영역에서 대화와 관계의 중요성을 재조명하며, 부버의 철학적 탐구를 통해 더욱 풍부하게 만든다.

리처드 볼하임: 예술의 의미

리처드 볼하임은 예술의 의미를 탐구하면서 예술 작품이 어떻게 감정과 경험을 전달하고 소통하는지를 중심으로 논의했다. 그는 예술 작품이 단순히 미적 대상이 아니라, 예술가의 감정과 의도를 전달하는 매체라고 보았다. 이를 통해 관객은 예술가의 내면 세계를 경험하고 이해할 수 있게 된다. 볼하임은 예술의 의미가 작품 자체와 관객의 해석 사이의 상호작용에서 생성된다고 주장했다.

볼하임은 예술 작품의 의미를 두 가지 측면에서 분석했다.

첫째, 그는 작품의 '형식적 속성'이 그 의미를 형성하는 데 중요한 역할을 한다고 보았다. 작품의 구성, 색채, 질감, 형태 등 형식적 요소들이 관객에게 특정한 감정과 반응을 불러일으킨다. 예술가는 이러한 형식적 요소들을 통해 자신의 감정과 의도를 표현하며, 관객은 이를 통해 예술가의 메시지를 해석하게 된다.

둘째, 볼하임은 '표현적 속성'이 예술의 의미를 형성하는 데 중요한 역할을 한다고 보았다. 그는 예술 작품이 감정을 표현하는 방식에 주목하며, 예술가의 감정이 작품을 통해 어떻게 전달되는지를 분석했다. 예술 작품은 예술가의 감정과 의도를 담고 있으며, 관객은 이를 통해 예술가의 내면 세계를 경험하게 된다. 이러한 표현적 속성은 작품의 형식적 요소와 결합되어, 관객에게 깊은 정서적 경험을 제공한다.

또한, 볼하임은 예술 작품의 의미가 고정된 것이 아니라, 관객의 해석에 따라 변화할 수 있다고 주장했다. 그는 예술 작품이 다양한 해석 가능성을 지니고 있으며, 관객의 경험과 감정에 따라 그 의미가 달라질 수 있다고 보았다. 이는 예술 작품이 단일한 의미를 지니는 것이 아니라, 관객과의 상호작용을 통해 끊임없이 재해석되고 재구성된다는 것을 의미한다.

따라서 리처드 볼하임의 예술론은 예술 작품의 의미가 형식적 속성과 표현적 속성, 그리고 관객의 해석 사이의 상호작용에서 생성된다고 주장한다. 그는 예술 작품이 단순한 미적 대상이 아니라, 예술가의 감정과 의도를 전달하는 매체로서, 관객에게 깊은 정서적 경험을 제공한다고 보았다. 이를 통해 볼하임은 예술 작품의 다층적 의미와 관객과의 상호작용을 강조하며, 예술의 본질을 탐구했다.

보리스 그로이스: 예술의 정치성과 디지털 시대의 예술

보리스 그로이스는 예술의 정치성과 디지털 시대의 예술을
중심으로 현대 예술의 변화를 탐구했다. 그로이스는 예술이
단순히 미적 경험을 제공하는 것이 아니라, 사회적, 정치적
변화를 촉진하는 강력한 도구라고 주장한다. 그는 예술이 정
치적 메시지를 전달하고 권력 구조를 비판하며, 이를 통해 사
회적 변화를 이끌어낼 수 있다고 본다. 특히 디지털 시대의
예술은 이러한 정치적 역할을 더욱 강화한다.

디지털 기술의 발전은 예술의 생산과 소비 방식을 근본적으
로 변화시켰다. 그로이스는 디지털 예술이 기존의 예술 형식
을 넘어서 새로운 표현 방식을 탐구하고, 더 많은 사람들에게
접근 가능하게 만든다고 설명한다. 디지털 플랫폼을 통해 예
술 작품은 전 세계적으로 즉각적으로 공유될 수 있으며, 이는
예술가가 자신의 메시지를 더 널리 전파할 수 있는 기회를
제공한다. 또한, 디지털 예술은 관객의 참여를 통해 작품의
의미가 끊임없이 변화하고 재구성되는 과정을 가능하게 한다.
그로이스는 또한 디지털 예술이 예술의 정치적 기능을 강화
하는 방식에 주목했다.

그는 디지털 매체가 예술 작품을 보다 쉽게 복제하고 배포할
수 있게 함으로써, 예술이 기존의 권력 구조를 도전하고 전복

할 수 있는 잠재력을 지니고 있다고 주장한다. 디지털 예술은 전통적인 미술관이나 갤러리의 경계를 넘어, 인터넷을 통해 더 광범위한 청중에게 다가갈 수 있으며, 이를 통해 정치적 메시지를 효과적으로 전달할 수 있다. 또한, 그로이스는 디지털 시대의 예술이 새로운 형태의 미적 경험을 창출한다고 본다. 그는 디지털 예술이 상호작용적이고 참여적인 특성을 지니고 있어, 관객이 단순히 수동적으로 작품을 감상하는 것이 아니라, 적극적으로 참여하고 경험할 수 있게 한다고 설명한다. 이러한 상호작용은 예술 작품의 의미를 더욱 풍부하게 만들고, 관객이 자신의 경험을 통해 작품의 의미를 재구성할 수 있게 한다. 그는 예술의 정치성과 디지털 시대의 예술을 중심으로 현대 예술의 변화를 탐구하고 예술이 사회적, 정치적 변화를 이끌어낼 수 있는 강력한 도구라고 주장하며, 디지털 기술의 발전이 예술의 정치적 기능을 강화하고 새로운 형태의 미적 경험을 창출하는 데 중요한 역할을 한다고 설명한다.

제니 홀저: 언어와 공공 공간에서의 예술

제니 홀저는 언어를 매개로 공공 공간에서 예술을 실천하는 독특한 접근으로 잘 알려져 있다. 그녀의 예술론은 언어의 힘을 강조하며, 공공 공간을 활용해 메시지를 전달하는 방식에 초점을 맞춘다. 홀저는 텍스트를 통해 관객과 직접적으로 소통하고, 이를 통해 사회적, 정치적 주제를 제기한다.

홀저의 작업은 주로 LED 디스플레이, 포스터, 빌보드, 건물 외벽 등 다양한 공공 공간에 텍스트를 삽입하는 방식으로 이루어진다. 이러한 접근은 예술을 갤러리나 박물관과 같은 전통적인 예술 공간의 제약에서 벗어나, 일상적인 환경 속으로 확장시킨다. 그녀의 텍스트는 짧고 명료하며, 강렬한 메시지를 담고 있어 관객의 즉각적인 반응을 유도한다.

또한, 홀저는 언어가 단순히 정보를 전달하는 도구가 아니라, 감정과 사상을 강력하게 표현하는 매체임을 강조한다. 그녀의 작업은 종종 정치적이고 사회적인 이슈를 다루며, 관객에게 비판적 사고를 촉구한다. 예를 들어, 그녀의 "Truisms" 시리즈는 다양한 문구들을 통해 사회적 관습과 가치에 대해 도전적인 질문을 던진다.

이러한 텍스트는 공공 공간에서 예상치 못한 순간에 마주하게 되며, 이를 통해 일상적인 사고방식을 흔들고 새로운 인식을 불러일으킨다. 홀저의 예술은 또한 접근성과 민주성을 중시한다. 공공 공간에서의 예술 활동은 특정 계층이나 교육 수준에 제한되지 않고, 누구나 접근할 수 있는 형태로 존재한다. 이와 같은 작업은 예술이 특정 엘리트의 전유물이 아니라, 모든 사람에게 열려 있는 것임을 상기시키며, 예술 의 사회적 역할을 재고하게 만든다.

더불어, 홀저는 기술을 활용하여 예술의 표현 범위를 확장한다. LED 디스플레이와 같은 현대 기술을 사용함으로써, 그녀는 전통적인 예술 매체의 한계를 넘어선다. 이러한 기술적 도구는 텍스트를 동적으로 표현할 수 있게 하여, 메시지가 더 넓은 범위의 관객에게 도달할 수 있도록 한다.

제니 홀저는 다양한 매체와 방식을 통해 언어와 메시지를 전달하는 예술 작업을 지속해왔다. 그녀의 다른 주요 예술 작업 중 몇 가지를 소개하면 다음과 같다.

홀저의 "Truisms" 시리즈는 1977 년부터 시작된 작업으로, 그녀가 직접 작성한 수백 개의 짧은 문구들을 포함한다. 이 문구들은 포스터, 스티커, 티셔츠, LED 디스플레이 등 다양한 매체를 통해 공공장소에 전시되었다. "Truisms"는 사회적, 정치적, 철학적 이슈들을 간결하게 표현하여 사람들에게 도전적인 질문을 던진다. 이러한 문구들은 일상적인 공간에서 갑작스럽게 나타나 관객의 일상적 사고를 방해하고, 새로운 시각을 제시한다.

1979 년부터 1982 년까지 진행된 "Inflammatory Essays"는 홀저가 작성한 100 개의 짧은 에세이들로 구성된다. 각 에세이는 100 단어 내외로, 다양한 사회적, 정치적 주제들을 다루며, 강렬하고 도발적인 언어로 구성되어 있다. 이 에세이들은 포스터 형식으로 뉴욕의 거리, 버스 정류장, 공공 화장실 등 여러 공공장소에 부착되었으며, 사람들에게 강한 인상을 남겼다.

"Survival" 시리즈는 1983 년부터 시작된 작업으로, 인간의 생존과 관련된 문구들을 포함한다. 이 문구들은 네온 사인, 돌 조각, 벤치, 전광판 등 다양한 형태로 제작되어 공공장소에 전시되었다. 이 시리즈는 인간의 본능과 생존에 관한 근본적인 질문을 던지며, 관객에게 자신의 삶과 환경을 재고하게 만든다.

1993 년에 제작된 "Lustmord"는 전쟁과 폭력, 특히 성폭력을 주제로 한 작업이다. 이 작업은 발칸 전쟁 당시의 참상을 다루며, 가해자, 피해자, 목격자의 관점에서 작성된 문구들을 포

함한다. 이 문구들은 뼈나 피부와 같은 신체적 재료에 새겨져 전시되었으며, 전쟁의 잔혹함과 폭력의 현실을 강력하게 전달 한다.

2004 년 뉴욕의 그랜드 센트럴 터미널과 타임스 스퀘어에서 진행된 "For the City" 프로젝트는 홀저의 LED 디스플레이 작업의 일환이다. 이 프로젝트에서는 다양한 문구 들이 뉴욕의 공공장소에 전시되어, 도시 생활 속에서 사람들 이 문구를 접하고 반응하게 만들었다. 이 프로젝트는 도시 환 경에서 예술이 어떻게 작용할 수 있는지를 보여주는 대표적 인 예다.

2007 년에 시작된 "Blue Purple Tilt"는 홀저의 대규모 LED 설치 작업 중 하나로, 이스라엘의 텔아비브 미술관에서 전시 되었다. 이 작업은 정치적 문구들을 LED 디스플레이를 통해 보여주며, 관객이 문구를 따라 걸어가며 경험할 수 있도록 설 계되었다. 이는 관객이 문구와 상호작용하면서 메시지의 의미 를 깊이 생각하게 만든다.

홀저의 작업은 예술이 일상 속에서 강력한 사회적 도구로 작 용할 수 있음을 보여줬다.다양한 매체와 공공장소를 활용하여 사회적, 정치적 메시지를 전달하는 작업을 지속해왔다. 그녀의 작품은 일상 속에서 사람들에게 강렬한 메시지를 전달하며, 예술이 어떻게 사회적 변화를 이끌어낼 수 있는지를 앞으로도 보여줄 것이다.

아드리안 파이퍼: 인종, 젠더, 정체성에 대한 예술

아드리안 파이퍼는 인종, 젠더, 정체성에 대한 강력한 메시지를 전달하는 예술가로, 그녀의 작업은 사회적 불평등과 편견을 도전하고 탐구하는 데 중점을 둔다. 파이퍼는 자신의 경험을 바탕으로 인종 차별, 성차별, 그리고 정체성의 복잡성을 작품에 담아내며, 관객이 자신의 편견과 선입견을 반성하도록 유도한다. 파이퍼는 초기 작업에서부터 인종과 정체성 문제를 적극적으로 다루었다. 그녀의 작품 "My Calling (Card) #1"과 "My Calling (Card) #2"는 흑인 여성으로서의 자신의 정체성을 강조하며, 사회적 상황에서 인종차별적인 발언이나 행동을 하는 사람들에게 경고와 반성을 요구하는 메시지를 담고 있다. 이 작업은 개인적인 경험을 공공의 영역으로 확장하여, 관객이 일상에서 인종차별을 어떻게 경험하고 인식하는지를 성찰하게 한다. 젠더 문제에 있어서도 파이퍼는 중요한 목소리를 내왔다. 그녀의 작업은 여성으로서의 경험과 여성에 대한 사회적 기대와 규범을 비판적으로 탐구한다. 파이퍼는 자신의 몸을 활용한 퍼포먼스와 비디오 작업을 통해, 여성의 신체가 어떻게 사회적 시선에 의해 규정되고 억압되는지를 드러낸다. 이는 여성의 자율성과 정체성에 대한 깊은 성찰을 불러일으키며, 관객에게 젠더에 대한 고정관념을 재고하게 만든다.

파이퍼의 작업에서 정체성의 복잡성과 다층성은 중요한 주제다. 그녀는 자신의 다양한 정체성을 탐구하며, 이를 통해 정체성이 단일하고 고정된 것이 아니라, 다양한 요소들이 상호작용하며 형성되는 복잡한 과정임을 보여준다.

이는 특히 그녀의 일련의 자화상 작업에서 잘 드러나며, 파이퍼는 이를 통해 자신의 정체성을 다양한 방식으로 표현하고 재해석한다.

또한, 파이퍼는 관객의 참여를 유도하는 작업을 통해 사회적 변화를 촉진하고자 한다. 그녀의 퍼포먼스와 설치 작업은 관객이 작품의 일부분이 되도록 설계되어, 이를 통해 관객은 자신의 역할과 책임을 자각하게 된다. 파이퍼는 이러한 참여형 예술을 통해 사회적 문제에 대한 인식을 높이고, 관객이 자신의 행동과 태도를 반성하도록 유도한다.

그녀의 작업은 사회적 불평등과 편견을 도전하며, 관객이 자신의 선입견과 고정관념을 반성하고 재고하게 만든다

장 보드리야르: 시뮬라크라와 시뮬레이션, 하이퍼리얼리티

장 보드리야르는 그의 저서 『시뮬라크라와 시뮬레이션』에서 현대 사회의 본질과 예술의 역할을 탐구하며, '시뮬라크라'와 '시뮬레이션' 그리고 '하이퍼리얼리티' 개념을 제시했다. 보드리야르는 시뮬라크라를 실제와 무관하게 존재하는 이미지나 복제물로 정의하며, 시뮬레이션은 이 시뮬라크라가 현실을 대체하는 과정을 의미한다. 그는 현대 사회에서 시뮬라크라가 원본의 자리를 차지하고, 현실과 구별되지 않는 하이퍼리얼리티를 만들어낸다고 주장했다.

보드리야르의 예술론은 이러한 시뮬라크라와 하이퍼리얼리티 개념을 통해 예술이 현실을 어떻게 반영하고 변형하는지를 분석한다. 그는 현대 예술이 더 이상 현실을 모방하거나 재현하는 것이 아니라, 독립된 이미지와 상징으로 작동한다고 본다. 이는 예술 작품이 현실과의 직접적인 연결을 상실하고, 자체적으로 존재하는 이미지로서 의미를 갖게 된다는 것을 말한다.

보드리야르는 하이퍼리얼리티를 통해 예술이 어떻게 새로운 형태의 현실을 창조하는지를 설명하며 하이퍼리얼리티는 복제된 이미지와 기호가 실제 현실보다 더 현실적으로 느껴지는 상태를 말한다. 예를 들어, 테마파크나 미디어에서 제공하

는 이미지들은 실제보다 더 생생하고 매력적으로 다가오며, 사람들은 이를 실제로 인식하게 된다. 이러한 하이퍼리얼리티 는 예술이 현실을 초월하여 새로운 차원의 경험을 제공하는 역할을 한다.

또한, 장 보드리야르는 '시뮬라크라와 시뮬레이션' 외에도 '기호 경제'와 '기호의 소비'에 대한 예술론을 제시했다. 이는 그의 사회 이론과 밀접하게 연관되어 있으며, 현대 예술의 본질과 역할을 심도 있게 탐구한다.

보드리야르는 현대 사회를 기호와 이미지로 구성된 경제로 이해하며, 이를 '기호 경제'라고 불렀다. 그는 상품과 서비스 가 단순한 물질적 가치가 아닌, 기호와 상징으로 소비된다고 주장했다. 이러한 관점에서 예술 작품 역시 물리적 객체나 미적 가치가 아니라, 기호로서 의미를 지닌다.

보드리야르는 예술이 소비 사회에서 중요한 역할을 한다고 보았고 예술 작품은 고유한 기호로 작용하며, 이를 통해 사회적 지위나 정체성을 표현하고 강화시킨다. 예술 작품을 소유하거나 감상하는 행위는 단순한 미적 경험을 넘어서, 특징한 사회적 의미와 가치를 부여받는 과정이 된다. 예를 들어, 유명 예술가의 작품을 소유하는 것은 단순히 아름다움을 소유하는 것이 아니라, 그 작품이 지닌 상징적 의미와 사회적 가치를 함께 소유하는 것이다.

그는 현대 예술이 대중 매체와 광고, 패션 등과 결합하여 상업화되고, 기호의 소비를 촉진하는 도구로 사용된다고 주장했다. 이러한 현상은 예술 작품이 전통적인 의미에서의 '순수 예술'이 아니라, 상업적 기호와 이미지로서 소비된다는 것을 의미한다.

보드리야르는 이러한 변화가 예술의 본질을 변형시키고, 예술 작품의 의미를 재구성한다고 보았다. 예술 작품은 이제 고유한 미적 가치를 지니기보다는, 소비되고 교환되는 기호로서의 역할을 수행한다. 이는 예술이 더 이상 독립적인 창작 활동이 아니라, 상업적 기호와 이미지의 생산과 소비 과정에서 중요한 역할을 한다는 것을 의미한다. 예술은 이제 단순한 창작 활동이 아니라, 상품으로서 소비되고, 이를 통해 새로운 형태의 사회적 현실을 형성한다.

보드리야르는 이러한 현상이 예술의 본질을 변형시키고, 예술의 역할을 재정의하게 만든다고 보았다. 예술은 더 이상 고유한 진리나 아름다움을 추구하는 것이 아니라, 이미지와 기호의 생산과 소비를 통해 하이퍼리얼리티를 창조하는 데 중점을 둔다. 이는 예술이 현대 사회에서 어떻게 기능하고, 어떤 역할을 수행하는지를 이해하는 중요한 틀을 제공한다.

보드리야르의 이론은 예술이 소비사회와 상업화된 문화 속에서 어떻게 기능하는지를 분석하며, 현대 예술의 본질과 역할을 재정의하는 데 중요한 통찰을 제공한다. 이 이론은 예술 작품이 단순한 미적 가치가 아니라, 사회적 기호로서 작용하며, 이를 통해 현대 사회의 구조와 변화를 이해하는 데 중요한 통찰을 제공한다.

미셸 푸코: 권력과 지식, 시각 문화 이론

미셸 푸코는 권력과 지식의 관계를 중심으로 예술과 시각 문화를 분석했다. 그는 권력이 단순히 억압적인 힘이 아니라, 지식을 통해 사회 전반에 걸쳐 작동하는 복잡한 네트워크라고 보았다.

이 관점에서 푸코는 예술이 어떻게 권력 관계를 드러내고, 때로는 이를 재생산하거나 도전하는 역할을 하는지를 탐구했다. 푸코는 시각 문화가 권력의 중요한 도구라고 주장했다. 시각적 재현, 즉 그림, 사진, 영화 등은 단순히 세계를 보여주는 것이 아니라, 특정한 시각과 담론을 통해 현실을 구성하고 이해하는 방식을 규정한다. 예를 들어, 병원의 설계와 의료 도표는 단순한 시각적 정보 제공을 넘어서, 환자를 어떻게 분류하고 치료할지를 결정하는 권력의 구조를 내포하고 있다. 이러한 시각적 요소들은 권력 관계를 형성하고 유지하는 데 중요한 역할을 한다.

푸코는 또한 예술이 지식을 생산하고 분배하는 방식에 주목했다. 그는 예술이 단순히 미적 경험을 제공하는 것이 아니라, 특정한 사회적 지식과 권력을 반영하고 강화한다고 보았다. 예를 들어, 르네상스 시기의 인체 해부학 그림들은 단순한 예술 작품이 아니라, 당시의 의학 지식을 시각적으로 표현하고,

이를 통해 권력을 재생산하는 도구로 작용했다. 이러한 예술 작품은 지식을 시각적으로 전달함으로써 권력의 구조를 강화하고, 이를 통해 사회적 질서를 유지한다.

또한, 푸코는 판옵티콘(Panopticon) 개념을 통해 시각적 감시와 권력의 관계를 설명했다.

판옵티콘은 중앙 감시탑에서 모든 수감자를 한눈에 볼 수 있게 설계된 원형 감옥으로, 푸코는 이를 현대 사회의 감시 메커니즘의 상징으로 사용했다. 그는 시각적 감시가 권력을 행사하는 중요한 방식이며, 이를 통해 사회 구성원들이 스스로를 규율하게 만든다고 주장했다. 이와 같은 시각적 감시는 예술 작품과 미디어를 통해 더욱 확장되고, 사회 전반에 걸쳐 작동한다.

미셸 푸코의 예술론은 권력과 지식의 관계를 시각 문화와 결합하여 분석한다. 그는 예술이 단순한 미적 경험을 제공하는 것이 아니라, 권력 관계를 드러내고 강화하는 중요한 도구라고 보았다. 푸코의 이론은 예술과 시각 문화가 사회적 지식을 생산하고 분배하는 방식, 그리고 이를 통해 권력을 행사하는 과정을 심도 있게 탐구하며, 현대 예술의 본질과 역할을 재정의하는 데 중요한 통찰을 제공한다.

또한 미셸 푸코는 "헤테로토피아" 개념을 통해 예술이 사회에서 차지하는 독특한 위치와 역할을 설명했다.

헤테로토피아는 다양한 장소와 공간이 공존하며 서로 다른 규칙과 질서가 적용되는 이질적인 공간을 의미한다. 푸코는 예술 공간을 이러한 헤테로토피아로 간주하여, 예술이 어떻게 기존의 사회적, 문화적 질서를 도전하고 재구성하는지를 탐구했다.

푸코에 따르면, 예술 공간은 일상의 질서와 규범에서 벗어난 특별한 공간으로, 사회적 규범과 권력 관계를 재구성하고 비판하는 기능을 한다. 예를 들어, 박물관이나 갤러리와 같은 예술 공간은 전통적인 시간과 공간의 개념을 초월하여, 다양한 시대와 문화의 작품들이 함께 존재하는 곳이다. 이러한 공간은 과거와 현재, 현실과 상상의 경계를 허물며, 관객에게 새로운 시각과 경험을 제공한다.

헤테로토피아로서의 예술 공간은 사회적 비판과 반영의 장으로 기능한다. 푸코는 예술이 사회적 문제와 갈등을 드러내고, 이를 통해 사회를 성찰하게 만든다고 보았다. 예술 작품은 단순히 미적 즐거움을 제공하는 것이 아니라, 사회적 현상과 권력 구조를 비판적으로 탐구하고, 관객에게 새로운 인식을 촉

발하는 역할을 한다. 이는 예술이 사회적 변화를 촉진하는 중
요한 매개체로 작용한다는 것을 의미한다.

또한, 푸코는 헤테로토피아가 사회적 통제와 규율의 공간이기
도 하다고 주장했다. 예술 공간은 종종 특정한 사회적
규범과 질서를 강화하는 역할을 할 수 있다. 예를 들어, 박물
관은 예술 작품을 특정한 방식으로 배열하고 해석함으로써,
특정한 역사적 서사와 이데올로기를 강화할 수 있다. 그러나
동시에 이러한 공간은 기존의 질서를 비판하고 재구성하는
가능성을 열어둔다.

그의 헤테로토피아 개념은 예술 공간이 사회에서 차지하는
독특한 위치와 역할을 설명하는 중요한 틀을 제공한다.

그는 예술 공간을 이질적이고 다층적인 공간으로 간주하며,
예술이 사회적 규범과 권력 관계를 재구성하고 비판하는 기
능을 한다고 보았다. 이를 통해 푸코는 예술이 사회적 변화를
촉진하고, 새로운 인식을 제공하는 중요한 역할임을 시사했다.

미셀 푸코의 "이것은 파이프가 아니다(This is Not a Pipe)"는
르네 마그리트의 유명한 그림 "이것은 파이프가 아니다(The
Treachery of Images)"에 대한 철학적 분석을 제공한다. 이
책에서 푸코는 마그리트의 그림과 그 위에 쓰여진 "이것은

파이프가 아니다(Ceci n'est pas une pipe)"라는 문구를 통해 이미지와 언어 사이의 관계를 탐구한다. 푸코는 이 작품이 어떻게 관람자의 인식을 도전하며, 사물의 본질과 대표성 사이의 복잡한 상호작용을 드러내는지 분석한다.

푸코의 주장에 따르면, 마그리트의 작품은 이미지가 항상 실제 객체를 완벽하게 대표할 수 없다는 사실을 시각적인 농담을 통해 보여준다. 그림 속의 파이프는 실제로 담배를 피울 수 없는 이미지에 불과하기 때문에, 문자 그대로의 '파이프'가 아니다. 이로써 푸코는 인식론적 문제를 제기하며, 사물을 어떻게 인지하고 그 의미를 어떻게 부여하는지에 대한 깊은 사유를 이끌어낸다. 이 책은 예술, 언어, 그리고 인식의 관계에 대한 철학적 질문을 던지며 독자들로 하여금 일상적으로 받아들이는 가정들을 재고하도록 한다.

이미지가 실제 객체를 대표하는 방식과 이를 인식하는 방식 사이의 차이를 드러낸다.

푸코는 이를 통해 '대표'라는 개념 자체에 의문을 제기한다.

그림 속의 파이프는 실제로 담배를 담을 수 없으므로 실제 파이프가 아니다. 여기서 마그리트와 푸코는 대표적인 이미지가 항상 그 대상을 충분히 포괄하지 못한다는 사실을 강조한다. 이것은 시각 예술뿐만 아니라 언어와 의미, 사물의 인식에 관한 광범위한 철학적 질문을 던진다.

결국, 푸코의 분석은 예술작품이 어떻게 관람자의 인식 과정에 개입하며, 어떻게 우리가 세계를 이해하고 의미를 부여하는 방식에 도전하는지를 탐구한다. 이러한 분석은 예술과 철학에 깊은 영향을 미치며, 현대 사상에서 중요한 논점으로 자리 잡고 있다.

알랭 드 보통: 예술과 삶의 철학, 일상의 철학

알랭 드 보통은 예술이 단순히 미적 감상에 그치는 것이 아
니라, 삶의 중요한 문제들을 해결하고 이해하는 데 도움을 준
다고 말한다. 그의 예술론은 예술을 삶의 철학과 일상의 철학
과 연결하여, 예술이 인간의 일상 경험을 어떻게 풍요롭게 하
고 심리적 안정을 제공하는지를 설명한다.

보통은 예술이 우리에게 위로와 치유를 제공한다고 보며 예
술 작품이 우리가 겪는 고통과 어려움을 반영하며, 이를 통해
공감과 위로를 얻을 수 있다고 말한다. 예를 들어, 슬픔이나
상실을 다룬 예술 작품은 관객이 자신의 감정을 이해하고 표
현하는 데 도움을 준다. 이는 예술이 감정의 치유 과정에서
중요한 역할을 한다는 것을 의미한다.

또한, 그는 예술이 우리의 시각을 넓혀준다고 믿고 예술 작품
이 다양한 관점과 경험을 제공함으로써, 우리가 세상을 보는
방식을 확장하고 깊이 있게 만든다고 말한다. 예술은 우리가
일상에서 간과하기 쉬운 것들을 새롭게 조명하고, 이를 통해
더 풍부한 삶의 경험을 가능하게 한다. 이는 예술이 단순한
미적 즐거움을 넘어, 우리의 인식과 이해를 확장하는 중요한
도구임을 인식시킨다.

또한 예술이 우리에게 중요한 교훈을 제공하며 예술 작품이

도덕적, 철학적 질문을 제기하고, 이를 통해 우리가 더 나은 사람이 되도록 이끌 수 있다고 주장한다. 예를 들어, 문학 작품은 인간의 복잡한 도덕적 딜레마를 탐구하며, 독자가 자신의 가치와 신념을 성찰하게 만들고 예술이 우리의 도덕적 성장과 자기의 이해를 촉진하는 역할을 한다는 것을 시사한다.

알랭 드 보통은 여러 저서를 통해 예술과 삶의 철학에 대한 깊은 통찰을 제공했다. 그의 저서 중 하나인 『예술의 위안 (The Art of Travel)』과 『왜 나는 너를 사랑하는가(Essays in Love)』는 그의 예술론을 잘 보여주는 대표적인 작품이다.

『예술의 위안』에서 보통은 여행을 통해 예술이 우리 삶에 어떤 영향을 미치는지를 말하고 있다. 그는 여행지에서의 예술 작품들이 어떻게 우리의 시각을 넓히고, 새로운 문화와 경험을 이해하는 데 도움을 주는지 설명한다. 예술은 우리가 일상에서 벗어나 새로운 관점에서 세상을 바라보게 만들며, 이를 통해 우리의 인식과 경험을 풍부하게 한다. 보통은 예술 작품이 여행 중 만나는 풍경과 문화를 더 깊이 이해하게 만들고, 이를 통해 우리가 더 넓은 세상을 경험할 수 있도록 돕는 역할로 설명한다.

또한, 보통은 예술이 여행의 기억을 보존하고 강화하는 역할을 한다고 본다. 예술 작품은 우리가 방문한 장소와 경험을 시각적으로 기록하고, 이를 통해 그 경험을 오랫동안 기억하게 만든다. 이는 예술이 단순한 감상의 대상이 아니라, 우리의 삶의 중요한 순간들을 기록하고 보존하는 도구임을 보여준다.

『왜 나는 너를 사랑하는가』에서 보통은 사랑과 관계에 대한 철학적 탐구를 예술과 연결하여 다룬다. 그는 사랑의 복잡한 감정과 경험을 문학과 예술을 통해 설명하며, 예술이 우리의 감정을 이해하고 표현하는 데 어떤 역할을 하는지 분석한다. 예술 작품이 사랑의 기쁨과 고통, 희망과 절망을 생생하게 묘사함으로써, 독자가 자신의 감정을 더 잘 이해하고 표현할 수 있도록 돕는다고 설명한다.

또한, 예술이 사랑의 문제를 해결하는 데 도움을 줄 수 있다고 본다. 그는 문학 작품이 사랑의 다양한 측면을 탐구하며, 독자가 자신의 관계를 성찰하고 개선하는 데 중요한 통찰을 제공한다고 말하고 예술은 사랑의 복잡성을 탐구하며, 이를 통해 독자가 더 나은 관계를 맺고 유지할 수 있도록 돕는다. 알랭 드 보통의 저서들은 예술이 우리의 삶과 경험을 어떻게 풍요롭게 하는지를 알고 있다. 『예술의 위안』은 예술이 여행과 새로운 경험을 통해 우리의 시각을 넓히고 기억을 강화하는 역할을 강조하며, 『왜 나는 너를 사랑하는가』는 예술이 사랑과 관계를 이해하고 개선하는 데 어떤 도움을 주는지를 말한다. 이를 통해 보통은 예술이 단순한 미적 경험을 넘어, 우리의 삶을 깊이 이해하고 풍요롭게 하는 중요한 역할을 수행함을 강조한다.

그는 예술이 위로와 치유를 제공하고, 우리의 시각을 넓혀주며, 중요한 교훈을 제공함으로써 우리의 삶을 풍요롭게 한다고 본다. 이를 통해 보통은 예술이 일상 속에서 심리적 안정과 자기 성찰을 우리에게 안겨준다.

데이비드 호크니: 현대 회화와 사진술, 시각적 지각 이론

데이비드 호크니는 현대 회화와 사진술을 통해 시각적 지각
이론을 탐구한 예술가로, 그의 예술론은 다각적인 접근을 통
해 시각 예술의 본질을 깊이 탐구한다. 호크니는 전통적인 회
화 기법과 현대적인 사진술을 결합하여, 인간의 시각 경험을
새롭게 해석하고자 했다. 그는 하나의 시점에서 세상을 바라
보는 방식이 제한적임을 인식하고, 여러 시점을 결합하여 더
풍부하고 다층적인 시각적 경험을 창출하려고 했다.

호크니는 특히 사진술의 한계를 지적하며, 단일 렌즈가 포착
하는 이미지가 인간의 복잡한 시각 경험을 충분히 반영하지
못한다고 주장했다. 이를 극복하기 위해 그는 '조합 사진' 기
법을 사용하여, 여러 개의 사진을 모자이크처럼 배열해 하나
의 이미지로 결합했다. 이 방식은 단일 시점의 제한을 넘어,
시간과 공간의 연속성을 시각적으로 표현할 수 있게 했다. 이
를 통해 호크니는 관객에게 보다 다차원적이고 역동적인 시
각적 경험을 제공했다.

또한, 호크니는 회화에서도 이러한 다중 시점을 탐구했다. 그
는 큐비즘과 같은 전통적인 예술 운동에서 영감을 받아, 하나
의 캔버스에 여러 시점과 관점을 결합했다. 이는 관객이 작품
을 감상할 때, 단순히 한 방향에서만 보지 않고, 다양한 시각

적 요소를 통해 더 깊은 이해와 감상을 할 수 있도록 한다. 그의 이러한 접근은 시각 예술이 단순히 현실을 재현하는 것을 넘어서, 관객의 지각과 경험을 확장하는 도구임을 보여준다. 호크니의 시각적 지각 이론은 기술 발전과도 깊이 연관되어 있다. 그는 디지털 기술과 아이패드와 같은 새로운 도구를 활용하여, 전통적인 예술 기법을 현대적인 맥락에서 재해석했다. 이는 예술가가 기술을 통해 새로운 표현 방식을 탐구하고, 이를 통해 현대 사회의 시각적 문화와 소통할 수 있는 가능성을 열어준다.

그는 여러 시점을 통해 더 복잡하고 풍부한 시각적 경험을 창출하며, 전통적인 예술 기법과 현대 기술을 결합하여 새로운 표현 방식을 모색했다. 이를 통해 호크니는 시각 예술이 단순한 재현을 넘어서, 인간의 지각과 경험을 확장하는 하는 경험을 주었다.

로잘린드 크라우스: 모더니즘과 포스트모더니즘 예술 비평

로잘린드 크라우스는 모더니즘과 포스트모더니즘 예술 비평
에서 중요한 목소리를 냈으며, 그녀의 예술론은 이 두 시대의
예술적 경향을 깊이 있게 분석하는 데 중점을 둔다. 크라우스
는 모더니즘이 예술의 자율성과 매체의 특수성에 집중한다고
보았다. 모더니즘 예술가들은 자신이 선택한 매체의 본질을
탐구하며, 회화는 평면성에, 조각은 물질성과 공간성에 집중
했다. 이를 통해 모더니즘은 예술의 순수성과 독립성을 강조
하며, 각 예술 형식이 고유한 언어를 발전시키도록 했다.

반면, 크라우스는 포스트모더니즘이 이러한 매체의 순수성을
해체하고, 경계를 허물며 혼합적인 형식을 추구한다고 주장했
다. 포스트모더니즘 예술은 다양한 매체와 장르를 결합하고,
고정된 의미나 스타일을 거부한다. 이는 예술 작품이 더 이상
고유한 특성을 지닌 독립적인 객체가 아니라, 다양한 문화적,
사회적 맥락 속에서 의미를 구성하고 재구성하는 과정임을
시사한다. 크라우스는 포스트모더니즘이 이러한 경향을 통해
예술의 새로운 가능성을 탐구한다고 보았다.

크라우스는 또한 포스트모더니즘이 모더니즘의 형식적 특성
과 예술의 자율성 개념을 비판적으로 재고한다고 주장했다.
포스트모더니즘 예술가들은 기존의 예술 형식과 규범을 전복

하고, 이를 통해 새로운 미적 경험을 창출하려 했다. 이는 예술이 사회적, 정치적 맥락에서 어떻게 기능하고, 그 안에서 어떤 역할을 수행하는지를 탐구하는 과정으로 이어진다.

또한 크라우스는 사진과 비디오 아트와 같은 새로운 매체에 주목했다. 그녀는 이러한 매체들이 전통적인 예술 형식과는 다른 방식으로 현실을 재현하고, 이를 통해 새로운 시각적 경험을 제공한다고 보았다. 이러한 새로운 매체들은 예술의 경계를 확장하고, 현대 사회에서 예술의 역할과 의미를 재구성한다. 그녀의 예술론은 모더니즘과 포스트모더니즘의 예술적 경향을 깊이 있게 분석하며, 이 두 시대의 예술이 어떻게 서로 다르고, 또 어떻게 상호작용하는지를 탐구한다. 그녀는 모더니즘이 매체의 특수성과 예술의 자율성을 강조하는 반면, 포스트모더니즘은 이러한 경계를 허물고 혼합적인 형식을 추구한다고 주장했다. 이를 통해 크라우스는 예술이 끊임없이 변화하고, 새로운 가능성을 탐구하는 과정임을 강조한다.

줄리아 크리스테바: 기호학과 문학 이론, 애브젝션과 예술

줄리아 크리스테바는 기호학과 문학 이론을 통해 예술을 깊이 탐구했다. 그녀는 언어와 기호가 어떻게 인간의 정체성과 사회적 관계를 형성하는지에 주목하며, 예술 작품이 이러한 기호의 복잡성을 드러내는 중요한 매체라고 주장한다. 크리스테바는 문학 작품이 단순한 이야기 전달을 넘어서, 기호와 의미의 복잡한 네트워크를 형성한다고 보았다. 이를 통해 독자에게 새로운 인식과 경험을 제공하며, 인간의 심리적 깊이를 탐구하는 도구로 작용한다.

크리스테바는 또한 '애브젝션(abjection)' 개념을 통해 예술이 인간의 무의식과 사회적 금기를 어떻게 다루는지를 분석했다. 애브젝션은 개인이 자신의 경계를 넘는 것을 두려워하면서도 끌리는 복잡한 감정을 의미한다. 이는 주로 혐오감과 두려움을 불러일으키는 것들, 예를 들어 죽음, 오염, 타락 등을 포함한다. 크리스테바는 예술이 이러한 애브젝션을 탐구함으로써 인간의 무의식을 드러내고, 사회적 금기와 규범을 도전한다고 주장했다. 예술 작품은 이러한 불안과 공포를 표현하며, 관객이 자신의 내면과 사회적 구조를 성찰하게 만든다.

크리스테바의 기호학과 애브젝션 이론은 예술의 기능을 새로운 시각에서 조명한다.

그녀는 예술이 단순한 미적 경험을 제공하는 것이 아니라, 인간 존재의 심리적, 사회적 복잡성을 탐구하는 중요한 매체라고 본다. 예술 작품은 기호와 의미의 복잡한 네트워크를 통해 독자와 관객에게 새로운 인식과 경험을 제공하며, 애브젝션을 통해 인간의 무의식과 사회적 금기를 드러내고 도전한다. 이를 통해 크리스테바는 예술이 인간 존재와 사회를 깊이 이해하고 변화시키는 힘을 지닌다고 강조한다.

존 버거: "다른 방식으로 보기

존 버거의 "다른 방식으로 보기(Ways of Seeing)"는 시각 예술을 이해하고 분석하는 방법에 대한 혁신적인 접근을 제시한 책이다. 이 책은 원래 BBC에서 방영된 동명의 텔레비전 시리즈를 바탕으로 하며, 예술작품들이 어떻게 보여지고 해석되는지에 대해 깊이 있게 탐구한다.

버거는 전통적인 미술사가들이 주로 작품의 아름다움이나 기술적 측면에 초점을 맞춘 반면, 그는 예술이 갖는 사회적, 역사적 맥락과 이미지가 어떻게 시청자에 의해 해석되고 소비되는지에 더 큰 관심을 둔다. 그는 예술 작품의 의미가 고정되어 있지 않고, 관람자의 시각, 사회적 배경, 그리고 시대에 따라 달라질 수 있다는 점을 강조한다.

버거는 특히 광고와 소비주의 문화에서 이미지가 어떻게 사용되고 있는지 분석함으로써, 이미지가 어떻게 욕망을 조작하고, 소유의 개념을 강화하는지를 지적한다. 그는 이를 통해 예술 작품들이 단순히 감상의 대상이 아니라, 권력, 정치, 경제와 깊이 연결되어 있음을 보여준다.

또한, 버거는 예술 작품이 복제되는 과정에서 원본의 '아우라'가 어떻게 변화하는지에 대해서도 논의한다. 이러한 복제 기술의 발달은 예술의 접근성을 높이지만, 동시에 작품의 독창성과 독특한 맥락이 회석될 수 있음을 경고한다.

전반적으로 "다른 방식으로 보기"는 예술을 둘러싼 다양한 힘의 관계를 탐구하며, 예술작품을 보는 새로운 시각을 제공한다. 그의 이론은 예술과 미디어를 통한 권력의 표현, 이미지가 우리의 인식에 미치는 영향, 그리고 예술이 사회와 어떻게 상호 작용하는지에 대한 이해를 심화시키는 데 중요한 역할을 한다. 오늘날에도 계속해서 현대 예술 비평가들과 이론가들 사이에서 그의 접근 방식은 예술과 권력, 정치, 사회 사이의 관계를 분석하는 중요한 참고 자료로 여겨지고 있다.

또한, 버거의 작품은 포스트모더니즘과 문화 연구 분야에서도 중요하게 다뤄지며, 예술이 어떻게 문화적 가치와 사회적 구조에 질문을 던지는지에 대한 논의에 기여하고 있습니다. 그의 사상은 예술 교육과 큐레이션 분야에도 영향을 미쳐, 예술을 해석하고 전시하는 방식에 대한 새로운 시각을 제공했다.

아서 도킨토: 예술의 종말과 후기예술

"예술의 종말(The End of Art)" 이론은 예술의 역사적 진화가 일종의 종결점에 도달했다고 주장한다. 이 이론에 따르면, 예술은 더 이상 역사적 진보의 선상에서 발전하지 않고, 대신 다양한 스타일과 형식이 동시에 존재하게 된다. 도킨토는 이러한 변화를 "후기 예술(Post-Historical Art)"이라고 명명했다. 도킨토는 예술이 그 자체로만 평가되어야 한다고 보았고 특히 현대 예술에서 작품이 전통적인 미적 기준이나 사회적 목적에 구속되지 않고 자유롭게 표현되어야 한다고 강조했다. 이러한 관점은 예술이 주로 철학적인 명제를 탐구하고 사유하는 매체로서의 역할을 수행할 수 있음을 의미한다.

"예술의 종말" 이론은 현대 예술계에서 중요한 토론 주제가 되었으며, 예술이 어떻게 사회적, 역사적 맥락에서 자유로워질 수 있는지에 대한 깊은 논의를 촉발시켰다. 도킨토의 접근 방식은 예술을 이해하고 평가하는 데 있어서 기존의 관념을 넘어서는 새로운 시각을 제공했다.

아서 도킨토의 "후기예술론(Post-Historical Art Theory)"은 예술이 역사적 진화의 종말에 도달했다는 개념을 기반으로 한다. 이 이론은 예술이 더 이상 역사적 진보의 경로를 따르지 않고, 대신 다양한 스타일과 실험이 공존하는 상태로 들어섰다고 설명한다. 도킨토는 이를 '후기 예술' 시대라고 불렀다.

이 단계에서 예술은 이전의 역사적, 스타일적 제약에서 벗어나 자유롭게 표현되고 다양화된다. 후기 예술 시대의 작품들은 더 이상 단일한 흐름이나 추세에 속하지 않으므로, 예술가들은 전통적인 경계를 넘어서는 실험적인 작업을 자유롭게 탐구할 수 있다. 이는 예술 작품 자체가 가진 철학적, 개념적 깊이를 중요시하는 경향을 강화시켰다.

도킨토는 예술의 이러한 변화가 '예술의 종말'을 의미하는 것이 아니라, 예술이 그 역할과 형태를 변화시켜 새로운 맥락과 조건 속에서 계속 진화한다는 것을 의미한다고 주장했다. 따라서 예술은 사회와 문화의 변화에 따라 새로운 방식으로 계속 발전하고, 이는 예술의 무한한 가능성을 제시한다.

이 이론은 현대 예술을 이해하는 데 중요한 틀을 제공하며, 예술가들과 비평가들에게 과거의 전통적인 미학적 기준을 넘어서는 새로운 접근 방법과 해석을 탐색할 기회를 준다.